o legado das deusas

novos mitos e arquétipos do feminino

Cristina Balieiro

o legado das deusas

novos mitos e arquétipos do feminino

São Paulo, 1ª edição
2020

Copyright© 2020, by Cristina Balieiro
Todos os direitos reservados.

Todos os direitos reservados a Pólen Livros e protegidos pela Lei nº 9.610, de 19.2.1998. É proibida a reprodução total ou parcial sem a expressa anuência da editora.

Este livro foi revisado segundo o Novo Acordo Ortográfico da Língua Portuguesa de 1990, que entrou em vigor no Brasil em 2009.

DIREÇÃO EDITORIAL
LIZANDRA MAGON DE ALMEIDA

COORDENAÇÃO EDITORIAL
LUANA BALTHAZAR

REVISÃO
EQUIPE PÓLEN LIVROS

CAPA E DIAGRAMAÇÃO
DANIEL MANTOVANI

PROJETO GRÁFICO
PÓLEN LIVROS

Balieiro, Cristina
   O Legado das Deusas 2: novos mitos e arquétipos do feminino / texto e ilustração – Cristina Balieiro 1ª ed. – São Paulo : Pólen, 2020
144p.

ISBN 978-65-50940-07-2
Inclui Bibliografia
1. Mitologia. 2. I. Título.

14-01752   CDD 291.13
Ficha catalográfica elaborada por Fátima Bretanha (CRB-8/3178)

www.polenlivros.com.br
www.facebook.com/polenlivros
@polenlivros
(11) 3675-6077

O respeito pelo sagrado feminino e sua expressão através das mulheres mais velhas, das sacerdotisas, dos oráculos, pode ter sido excluído da história do patriarcado, pode ter sido proibido e depois esquecido, mas uma vez que o processo de lembrança comece, é como se uma fonte, que antes era um poço sagrado e que estava soterrada, fosse liberada novamente.
Jean Shinoda Bolen

É importante que as mulheres recuperem a Deusa – não apenas uma Deusa, mas todas elas. Quanto mais Deusas conhecermos, mais poderemos celebrar, honrar e respeitar a diversidade do espírito feminino. Se festejarmos, honrarmos e respeitarmos a diversidade das Deusas, então poderemos fazer o mesmo por nós.
Amy Sophia Marashinsky

Sumário

Apresentação. **Recebendo o Chamado**	8
Introdução. **Quando Deus era Mulher: a Grande Mãe**	15
Ouvindo as Deusas	21
Asase Yaa, o Ventre Sagrado	22
Avó Nokomis, a Mestra e o Filtro de Sonhos	27
Bari Gongju, a Xamã	32
Ceres, a Senhora da Terra Cultivada	37
Cerridwen e o Caldeirão Mágico	41
Euá, a Guardiã dos Mistérios	46
Freya, a Poderosa	51
Iamuricumás, as Viajantes que Dançam	56
Ixchel, a Caverna da Vida	60
Jacy, a Deusa-Lua	65
Lilith, a Libertária	71
Mari, a Senhora das Múltiplas Manifestações	76
Mati-Syra-Zemlya e Mokosh, a Úmida Mãe Terra	81
Moiras, as Tecelãs dos Ciclos	86
A Mulher que Muda e o Caminho das Bênçãos	90
Nut, o Útero Celeste	95
Obá, a Grande Guerreira	100
Ostara, a Dona da Vida que Renasce	105
Pachamama, a Teia da Vida	110
Pele, a Senhora dos Vulcões	115
Sarasvati, a Senhora da Sabedoria	120
Sofia, e o Saber da Alma	125
Para encerrar. **A Quarta Face da Deusa:** **a Irmandade Feminina**	131
Referências Bibliográficas	138

Apresentação
Recebendo o Chamado

Em abril de 2014 lancei pela Pólen Livros, editora que também estava nascendo, meu primeiro livro solo, *O legado das deusas*, com mitos de 20 deusas de diferentes tradições, minha interpretação simbólica dessas narrativas e um desenho que fiz de cada uma delas. Desse dia até hoje tenho vivido uma jornada cheia de aventuras proporcionada por essa edição. Como já disse em outros escritos, aprendi que os livros que a gente escreve são como tapetes voadores: nos transportam para terras nunca imaginadas.

Logo depois do lançamento, várias leitoras começaram a me contar que estavam usando o livro como uma espécie de oráculo: abriam uma página ao acaso e liam o mito e a "lição da deusa", como se fosse um tema a ser trabalhado no dia ou semana, ou como resposta a alguma pergunta feita. Bastante surpresa, contei isso para minha editora e proprietária da Pólen, a Lizandra.

Um dia, num evento em que estávamos juntas, uma leitora e amiga contou que também usava o livro dessa forma e falou que estava pensando em tirar cópias das minhas ilustrações das deusas, plastificar e transformar num pequeno baralho. Aí a Lizandra falou: "Não, não faça isso; é a Pólen que vai fazer". Foi assim que o baralho-oráculo surgiu: depois de alguns meses do livro lançado e não por iniciativa minha; na verdade, sequer tinha cogitado algo parecido.

Outro fato inesperado: quando escrevi o livro estava pensando primordialmente em um público feminino e adulto que gostasse da relação mito/psicologia, numa base junguiana. Mas ele acabou chegando também em algumas meninas bem pequenas, até ainda não alfabetizadas, que gostaram de ouvir as histórias das deusas contadas para elas. E soube também que algumas professoras do ensino fundamental estão usando o livro em suas aulas. Nunca imaginei, nem em meus sonhos mais remotos, poder atingir um público infantil.

Livros e tapetes voadores são realmente objetos mágicos!

Além dessas e outras experiências surpreendentes vividas a partir do lançamento do livro, outro acontecimento se somou ao meu amor pelo estudo da mitologia relacionada ao feminino. Em setembro de 2016, Beatriz Del Picchia, minha grande amiga e parceira de livros, site, palestras, aulas, estudos e muitas conversas, e eu iniciamos sem muita pretensão um encontro mensal, aberto e gratuito na Livraria Millenium, em São Paulo. Chamamos de "Encontros de Mitologia do Feminino". Nossa intenção era/é estudar os mitos das mais diversas tradições, mas com foco numa interpretação feminina, e abrir rodas de conversas com as participantes. Esse projeto acabou dando muito certo e esses encontros acontecem mensalmente, sempre com um bom público, há mais de três anos. Para nos prepararmos para eles, mergulhamos ainda mais fundo na pesquisa da mitologia e em sua relação com o feminino e com as mulheres. E esses estudos foram amplamente enriquecidos com a troca de visões, interpretações e experiências feitas com as centenas de mulheres que já participaram deles.

Agora, voltando a esse livro que você tem nas mãos...

Segundo o modelo mítico descrito por Joseph Campbell, toda Jornada de Herói e de Heroína começa por um Chamado à Aventura. Foi o que aconteceu comigo: recebi um Chamado para fazer esse segundo volume. Aliás, não um, dois Chamados.

Em março de 2018, indo a Sorocaba com a Lizandra para falar com mulheres no programa "Tarja Branca" do Sesc de lá, falei para ela de deusas que ficaram de fora do primeiro livro e de como gostaria de tê-las incluído. Aí a Lizandra me questionou: "Vamos pensar então num segundo volume?" Eu só ri e deixei para lá. Mas, de alguma forma, aquilo ficou na minha cabeça.

Mais de um ano depois, em junho de 2019, numa manhã absurdamente fria em São Paulo, Lizandra e eu nos encontramos na inauguração de uma casa de eventos no bairro do Brooklin.

Tinha acabado de lançar meu novo livro *Círculos de Mulheres – as novas irmandades* com minha já citada parceira, a Bia Del Picchia, e *O Legado* tinha chegado a sua segunda edição. Lizandra e eu conversamos bastante sobre livros, sobre a editora, sobre esse mercado, como sempre costumamos fazer quando nos encontramos. Ela me deu carona na volta e no trajeto novamente falou da possibilidade de fazermos um segundo volume com as deusas que não estavam no primeiro livro.

Respondi que naquele momento não, pois havia acabado de lançar um novo livro, estava lidando com sua divulgação e me sentindo um pouco cansada – o processo de escrita do livro novo durara dois anos.

Mas a gente controla o que pede nossa alma? O que acontece quando recebemos, de novo, um Chamado? Bobagem...

Depois dessa conversa, comecei a acordar com frequência por volta das três horas da madrugada com deusas rondando minha mente; elas não me deixavam dormir! "Elas" atormentaram meu sono por cerca de um mês, até que me rendi, pois não adiantava lutar: o livro já estava sendo gestado dentro de mim. Liguei para a Lizandra, confirmei o interesse da Pólen na edição desse segundo volume, e comecei o trabalho em agosto do ano passado.

Esse livro demandou muito mais trabalho de pesquisa do que o primeiro, porque fui buscar deusas de mitologias ainda menos conhecidas e/ou menos documentadas.

Para muitos povos antigos, os relatos míticos-religiosos eram de transmissão oral e com frequência foram escritos posteriormente pelos povos que os conquistaram. Foi o caso dos celtas, cuja mitologia foi transcrita pelos romanos, ou da antiga mitologia xamânica da Coreia, que foi compilada por eruditos confucionistas depois da conquista da península coreana pelos chineses, por exemplo.

E com o cristianismo se estendendo por todo o ocidente, os mitos de outros povos pagãos foram compilados por monges cristãos como grande parte da mitologia nórdica, basca e eslava. Da mesma forma a mitologia indígena brasileira foi escrita primariamente pelos padres que vieram aqui evangelizar e só no século 20 indigenistas, antropólogos e descendentes desses povos vêm buscando resgatar os mitos originais.

Por isso há nos relatos míticos muitas lacunas e reinterpretações. E, no caso de mitos de deusas ou de heroínas míticas, as narrativas são ainda mais difíceis de encontrar. Além de raras, são escassas em detalhes ou até distorcidas: afinal, foram compiladas por culturas fortemente patriarcais, que valorizam muito mais os deuses e os heróis ou, pior, muitas vezes, procuraram desacreditar, aviltar ou mesmo demonizar as figuras sagradas femininas. Então, para fazer esse trabalho, foi necessária uma espécie de garimpagem em múltiplas e diversificadas versões e fontes.

Metaforicamente falando, escrever este livro foi como a feitura de uma complexa colcha de retalhos, juntando e costurando diferentes pedaços: pegando uma informação aqui, outra ali, checando e ampliando com toda leitura que pude ter em minhas mãos. Há muito material na internet, mas muitas vezes sem fontes de verificação ou mesmo com informações questionáveis. Por isso ela é boa como pesquisa inicial, mas sempre é necessário checar em outras fontes.

Nas referências bibliográficas estão os livros e artigos usados como fontes primárias e/ou como material de confirmação de informações obtidas na rede. Nelas estão também os principais livros de psicologia junguiana, livros sobre mulheres, o feminino e o feminismo e outros que usei como base para minhas reflexões e interpretações sobre os mitos.

Este livro não pretende ser acadêmico, nem uma rigorosa pesquisa científica, mas procurei, dentro do meu possível, ser o mais fidedigna que consegui em relação a cada mito e tradição aqui abordados.

Em alguns casos fui direto ao relato mítico, com toda sua poesia e imagética. Em outros, inseri detalhes históricos de seus povos e/ou da forma de compilação dos mitos, porque considerei importantes para situar leitoras e leitores e enriquecer sua visão daquela tradição.

Como no primeiro livro utilizei recortes dos mitos – alguns mais completos, outros parciais, mas escolhidos por mim de forma absolutamente particular e sempre contados em minha própria linguagem. São escolhas tão pessoais como os desenhos que ilustram o livro e as cartas do baralho – agora livro e baralho nascem juntos – e representam minha visão dessas deusas.

Este livro, como o anterior, não segue uma lógica interna: as deusas estão colocadas exclusivamente em ordem alfabética e por isso ele pode ser lido numa sequência escolhida de forma aleatória ou como um oráculo.

Depois do mito, vêm as "lições" que cada deusa pode trazer para as mulheres contemporâneas segundo minha interpretação. As interpretações, assim como os temas que escolhi abordar para cada deusa, sempre são minhas versões – podem ser válidas, mas nunca serão as únicas. São frutos da minha experiência pessoal, do meu trabalho terapêutico, da escrita dos meus outros livros, das trocas que fiz com tanta gente nessa vida, das minhas reflexões, leituras e estudos – resumindo, refletem quem eu sou e penso. Você, cara leitora/caro leitor, poderá ampliar muito o conteúdo deste livro com suas próprias interpretações. Afinal, essa é a uma das preciosidades dos mitos, das metáforas e dos símbolos – a multiplicidade possível de suas leituras.

Como no primeiro livro, e como havia previamente combinado com a editora, seriam 20 deusas. Mas duas outras se apresentaram nesse caminho e exigiram também estar presentes nessa empreitada; e quem sou eu para me contrapor as deusas? Então neste são 22!

E há ainda a Introdução, em que discorro sobre a Grande Deusa Mãe, a primeira Manifestação Divina reconhecida pela humanidade, e o encerramento, em que falo sobre um arquétipo que vem se manifestado de forma crescente na realidade, a Irmandade Feminina. Nessa última parte narro também um ritual de fertilidade feminino muito antigo.

Antes de encerrar essa nossa "conversa", quero dizer que me senti muito honrada por essas representantes sagradas do

Feminino terem me instigado e me permitido poder contar um pouco de suas histórias. Foi com enorme senso de gratidão e deleite que escrevi esse livro.

Espero que também para você, cara leitora/caro leitor, as Deusas possam iluminar e abençoar sua caminhada!

Cristina Balieiro
São Paulo, janeiro de 2020

Introdução
Quando Deus era Mulher: a Grande Mãe

Em tempos ancestrais, na pré-história da humanidade, deus era um ser feminino: a Grande Deusa Mãe. Essa deusa, que reinava de maneira solitária e soberana sobre tudo, representa a primeira visão humana do divino.

A característica dessa Deusa Mãe que a diferencia totalmente do Deus Pai como veio a ser representado nas tradições monoteístas masculinas é que ela contém TUDO e não só o lado bom! Ela contém o Bem e o Mal, a Luz e a Sombra, a Vida e a Morte, o Dia e a Noite, a Abundância e a Escassez, a Amorosidade e a Ira, a Criação e a Destruição, enfim, carrega em si todos os pares de opostos. O junguiano Erich Neumann comenta que um dos traços fundamentais dela era essa *coincidentia oppositorum*, ou seja, a unidade dos contrários.

Tudo e todos nascem dela e nela irão ao morrer; é dela que tudo vem e é para ela que tudo volta. Era vista tanto como Mãe Bondosa como Mãe Terrível – útero e túmulo de todos – porque exercia tanto o poder de dar a vida como o de trazer a morte. Havia nela uma unidade mística, tanto das forças benignas como das forças ameaçadoras que regem o mundo. Nessa visão, assim como a vida era celebrada, o processo destrutivo da natureza também era reconhecido e respeitado.

Ela era também a Transformadora: aquela que recebia em seu ventre cósmico as sementes e as transformava em vegetação, assim como recebia os corpos mortos e os devolvia renovados e reencarnados, gerando o futuro e garantindo a continuidade da vida.

Essa visão é simbolizada pelo aspecto tríplice muitas vezes atribuído à Grande Deusa: Donzela, a criadora; Mãe, a mantenedora, e Velha, a ceifadora, numa visão da vida composta de sucessivos nascimentos-mortes-renascimentos. Depois da Velha sempre reaparecia a Donzela, no ciclo ao mesmo tempo eterno e mutável da natureza e do cosmos.

Essa Grande Deusa era totalmente associada à natureza e às suas leis. No começo dos tempos, os humanos formulavam a ideia do mundo abstrato conforme a realidade existencial concreta se apresentava para eles. Desse modo, a natureza, quando os presenteava com as riquezas da terra, era a Grande Deusa Bondosa; e era a Mãe Terrível quando os castigava com a força de seus elementos. Ela era vista, ao mesmo tempo, como aterradora, amorosa, poderosa e divina, portanto tão amada quanto temida.

Com o passar do tempo, os mitos mudaram e, de deusa única, essa Grande Mãe foi tendo filhos deuses que, muitas vezes, viravam também seus consortes; mas ela continuava a reinar como a deusa maior e a mais poderosa.

A religião da Grande Mãe era ctônica: todas as deusas e deuses viviam na superfície da Terra ou dentro dela. O Céu não era seu habitat, era visto como uma espécie de estrada pela qual as deusas e os deuses viajavam. Foi com a chegada das religiões patriarcais que os deuses começaram a habitar o Céu. O sagrado saiu da Mãe Terra e se instalou lá longe, acima de todos os seres que nela habitam e de onde não conseguem se aproximar. Ao contrário, a Mãe Terra era honrada em seu próprio elemento. Era vista e reverenciada nos ciclo das estações, nos fenômenos da natureza, na riqueza e na beleza da terra, das estrelas, das montanhas, das águas, das plantas, dos animais.

Havia também a crença de que a criação ocorria não apenas uma vez, como normalmente acontece nas crenças monoteístas patriarcais, mas constantemente, num processo de recriação eterno. Tudo era criado nela e retornava a ela na época da dissolução, para novamente ser recriado. Era o poder da Grande Deusa Mãe que formava a criança no útero, a planta na semente, o pássaro no ovo: vida ou força vital eram nomes alternativos da Deusa.

Essa divindade feminina ancestral era vista como imanente, ou seja, parte dela vivia em cada uma de suas criaturas; dessa forma tudo o que vivia era considerado sagrado e a humanidade não estava acima de qualquer outro ser vivente.

As descobertas arqueológicas feitas durante o século 20, com a entrada de arqueólogas e outras especialistas mulheres nesse campo de estudo, e com o desenvolvimento de tecnologias mais avançadas, vem corroborando a hipótese de que a crença na Grande Mãe foi a primeira vivência religiosa a existir para vários povos em diferentes regiões do planeta. Muitos desses achados trazem fortes evidências de ter havido variadas culturas baseadas na adoração primordial de uma deidade feminina, bem antes da imposição da crença nos deuses masculinos e da cultura patriarcal. E isso especialmente entre povos de origem agrária. Como diz Joseph Campbell: "... onde quer que a agricultura tenha se tornado a principal fonte de alimento do povo, a Deusa e o feminino são dominantes".

Evidências arqueológicas atuais provam que a religião da Deusa existiu e floresceu no Oriente Próximo e Médio por milhares de anos antes da chegada do patriarcal hebreu Abraão, primeiro profeta da divindade masculina Yahweh. Também foram descobertos, especialmente após o trabalho pioneiro da arqueóloga Marija Gimbutas, indícios contundentes da existência de uma religião centrada na Deusa em todo território europeu antes que as civilizações patriarcais tomassem conta do continente trazendo seu panteão de deuses. Foram achados também registros sobre uma Grande Deusa Mãe ancestral no Egito, África, Austrália e China.

Vamos observar várias características dessa Grande Mãe em inúmeras outras deusas posteriores, como se elas fossem desdobramentos dessa divindade feminina ancestral. É uma única deusa e ao mesmo tempo muitas, com diferentes nomes e formas, responsáveis por variados aspectos da vida, numa visão ao mesmo tempo monoteísta e politeísta.

No caso das deusas da Terra, a correspondência com a Grande Deusa Mãe é ainda mais evidente. Neste livro você poderá verificar isso em Asase Yaa, em Mati-Syra-Zemlya e Mokosh e em Pachamama, típicas Mães Terra. Pode ser visto também no mito de Cerridwen, mas aí a Grande Mãe é representada pelo Caldeirão Mágico, do qual Cerridwen é a guardiã. Isso acontece também com as deusas que têm tanto a Mãe Amorosa como a Mãe Terrível dentro de si. No primeiro volume de *O Legado das Deusas* temos Inana, após seu processo de iniciação com a irmã sombria Ereshkigal, Iemanjá e Kali. Mas você poderá ver também "pistas ocultas" dessa Grande Mãe Divina em variados relatos míticos das outras deusas aqui retratadas, assim como naquelas presentes no primeiro volume.

Como vem se provando, por um grande espaço de tempo da história humana, esse culto à Grande Deusa predominou em várias regiões do planeta, mas foi implacavelmente combatido, especialmente por povos que professavam religiões monoteístas masculinas e que conquistaram os povos que professavam a crença nessa deidade feminina. Esses conquistadores vinham normalmente de tribos guerreiras nômades, que dominavam as artes da guerra e a feitura de armas, e conseguiram dominar povos mais pacíficos de cultura agrária. Não foi uma conquista fácil como a princípio parece e levou muitos séculos, pois muito comumente esses povos de cultura agrária tinham uma civilização muito mais desenvolvida e sofisticada que a dos conquistadores. Então a cultura patriarcal foi se estabelecendo lentamente, porém de forma rígida, violenta e massiva. O patriarcado, com suas crenças e normas, se fortaleceu incrivelmente, especialmente na Europa, quando o cristianismo canônico se tornou a religião oficial do Império Romano no ano de 326 d.C. Durante os séculos seguintes se estendeu por evangelização, conversão ou força por todo o continente.

Com a extinção definitiva dos cultos da Deusa e das Deusas nos países cristianizados e as consequentes perseguição e difamação dos valores sagrados femininos, somente fragmentos da sua antiga adoração permaneceram ocultos ou disfarçados nas crenças populares, nos costumes folclóricos, nos contos de fadas, na literatura.

E essa dominação do Divino unicamente masculino e o combate a visões que consideravam a existência de divindades femininas se estendeu depois para a América e parte da África, conquistadas por europeus.

No entanto, observa-se atualmente no mundo todo o ressurgimento com força da busca pelo Sagrado Feminino, como uma necessidade para a cura da psique individual e coletiva, fragmentada por essa cultura unilateral e doente.

Há uma crescente divulgação da espiritualidade feminina, não necessariamente religiosa, na literatura, nas artes, nos estudos históricos, sociais e psicológicos, nos ativismos das mulheres e nos grupos femininos: são sinais do "retorno da Deusa".

Sua volta não significa retomar as antigas práticas e crenças, mas revalidar a visão do Sagrado Feminino na atualidade, ao desenvolver uma nova cosmologia centrada na Terra, criar uma ética baseada em valores de reverência pela vida, buscar soluções pacíficas para a nossa sobrevivência e convivência e enxergar todos os habitantes desse planeta, humanos e não humanos, como irmãs e irmãos de jornada.

Este livro se insere nessa proposta e nesse propósito.

Ouvindo as Deusas

Asase Yaa
O Ventre Sagrado

Tradição ashanti /ganesa

Seu mito

Os Ashantis ou Axantes, de Gana, são um dos povos que compõem o importante grupo étnico e linguístico *Akan*, originários da África Ocidental. Os Ashantis desenvolveram um grande e influente império, que durou de cerca de 830 a.C. até 1235 d.C. e se estendia de Gana aos atuais Togo e Costa do Marfim.

Hoje os Ashantis habitam a parte central do território de Gana, a cerca de trezentos quilômetros da costa. Representam cerca de 30% da atual população ganense. Os Ashantis mantêm sua cultura, seus mitos e suas tradições, transmitidos oralmente de geração em geração.

Asase Yaa é a principal deusa dessa tradição. Ela representa o Ventre da Mãe Terra que nos dá à luz e a quem todos retornamos na morte. É Asase Yaa quem governa a fertilidade do solo de que todos os seres vivos dependem para nutrição e sustento.

Também é a que orienta e guia cada pessoa na busca de uma vida em harmonia com os outros, com a comunidade e com a natureza. E, após a morte, ela cuida, mas também julga os atos de quem morreu.

Sua importância para os Ashantis só é igualada a seu esposo sagrado, Nyame, o Criador do Mundo. Eles tiveram dois filhos: Tano, deus dos rios, e Bia, deus dos animais selvagens. Os Ashantis acreditam que as plantas, os animais e as árvores têm uma alma e creem também em espíritos da floresta e nos ancestrais. Acima de todos, porém, estão o casal Nyame e Asase Yaa.

Segundo uma antiga tradição desse povo, todos têm acrescido ao próprio nome o nome do dia em que nasceram. Para eles Nyame criou a Terra numa quinta-feira, daí o nome da deusa: Asase (Terra) Yaa (mulher nascida quinta-feira). Para os Ashantis, portanto, as quintas-feiras são dias sagrados, nos quais não se lavra a terra nem há sepultamento dos mortos, e todos os atos que possam profanar a terra devem ser evitados.

Na religião Ashanti tradicional, estados de transe dos sacerdotes são as formas mais utilizadas para entrar em contato com os deuses. Além do contato possível obtido através desses estados alterados dos religiosos, a reverência e o culto a Asase Yaa são exercidos em uma série de rituais. Como em todos os rituais Ashantis existe muita música, muita dança e libações*. Dão também muito importância às vestimentas ritualísticas, feitas de tecidos confeccionados por eles, muito coloridos e com uma complexa padronagem.

Os tecidos ocupam um lugar muito especial em sua cultura, sendo utilizados não apenas como vestimenta, mas como forma de expressão. Esses tecidos, também usados na confecção de roupas não rituais, são chamados de *kente*, palavra que significa "cesta", por terem suas tramas parecidas com os cestos entrelaçados. Os *kente* são verdadeiros "livros" para o povo Ashanti, pois transmitem mensagens, provérbios e aforismos possíveis de serem reconhecidos por todos. Essa escrita pictográfica é conseguida pelo uso simbólico tanto das cores como dos padrões geométricos utilizados em sua tecelagem.

---

* Libação é o ato de aspergir ou derramar água, vinho, sangue ou outros líquidos em um local ou pessoa com finalidade religiosa e/ou ritualística.

Durante a importante cerimônia de dar nome a uma criança recém-nascida, realizada ao ar livre, o bebê é colocado numa espécie de tapete estendido sobre a terra. Aí se roga à deusa, com danças e músicas, que lhe conceda suas graças: que sustente a vida da criança e lhe dê proteção, orientação e a guie no bom caminho até o dia de sua morte.

Durante os *ayies*, os rituais funerários, as libações são derramadas para Asase Yaa, não apenas para pedir permissão para cavar a sepultura em seu ventre, mas também para pedir que ela aceite e proteja o corpo da pessoa a ser enterrada. Existe inclusive uma tradição bem antiga que recomenda que, ao se enterrar um morto, antes de colocar seu caixão na cova, é importante balançá-lo para cima e para baixo três vezes, a fim de avisar Asase Yaa e dar tempo para ela se preparar para recebê-lo dentro dela.

É também por meio de rituais dirigidos a Asase Yaa que os Ashantis têm acesso e mantêm conexões com os ancestrais.

Asase Yaa é conhecida como a grande defensora da veracidade da fala e, em situações cotidianas, suspeitos de contar mentiras são desafiados a tocar com a ponta da língua o solo, o corpo sagrado da Deusa, como prova de estarem dizendo a verdade.

Não há santuários nem templos em Gana dedicados a Asase Yaa, porque não é dessa forma que o povo Ashanti acha que ela deve ser cultuada. Acreditam que deva ser reverenciada em sua verdadeira morada, os campos ao ar livre, e a todo o momento.

Para eles qualquer pessoa tem a capacidade de honrá-la especialmente comprometendo-se a não profanar a terra/Terra de nenhuma forma. Agindo dessa maneira a pessoa assegura que a abundância, a generosidade e a proteção de Asase Yaa esteja sempre disponível para ela e para todos da comunidade.

Os Ashantis oram assim: "*Mãe Terra, Asase Yaa, enquanto viver, dependo de ti. Quando morrer, irei para teu Ventre Sagrado. Por isso te amo e te reverencio*".

O que Asase Yaa pode ensinar
A combater o vício da perfeição e recuperar o prazer de viver

Asase Yaa, uma deusa cultuada com música, dança e lindos tecidos multicoloridos, na natureza é um Símbolo Feminino Sagrado potente para nos lembrar da alegria que podemos sentir pelo simples fato de estarmos vivas e habitando este lindo planeta. E de como é bom celebrar essa sensação!

Infelizmente, esses são os tipos de atitude completamente contrários ao que prega a cultura dominante atual. Para uma cultura que tem como modelo de sucesso a conquista de bens materiais e de símbolos de status considerados relevantes, o nível da hierarquia profissional atingida, o padrão de consumo alcançado, a visibilidade e a importância dentro dos grupos que "importam de verdade" e o cumprimento de padrões vistos como os corretos no exercício de qualquer papel social, achar prazer em simplesmente viver é quase uma heresia (e uma impossibilidade). Chega a parecer inconsequência...

Vivemos segundo uma visão de mundo que preconiza como universalmente desejáveis comportamentos como a procura constante da eficiência e da eficácia em tudo o que for vivido e feito, a perseguição de metas cada vez mais desafiadoras, nunca estando satisfeitos com o já obtido, a realização de forma bem planejada sempre, para evitar qualquer possibilidade de falha ou erro e a busca incessante da aprovação do meio social, expressa pelo patamar de remuneração, prestígio e poder atingidos.

Essas exigências não distinguem gênero: são para as mulheres e para os homens. Mas, para as mulheres, a autoexigência e a expectativa social da perfeição abrangem ainda mais áreas. Além da profissão, temos que ser perfeitas como mães, como donas de casa, como as responsáveis pela harmonia e o bem-estar da família (assim se acredita!) e como mulheres que preservam sua beleza, forma física e a máxima aparência de juventude possível. Nada menos que isso é tolerado!

Quando se busca a perfeição, existe a crença subentendida de que há padrões únicos, bem específicos e universalmente corretos para *o exercício de qualquer papel social e de tudo na vida. E são padrões idealizados, que não admitem desvios, verdadeiras camisas-de-força mentais que tiram a espontaneidade e a criatividade da pessoa em suas ações. A busca incessante desses padrões rigidamente préformatados traz como consequências um alto nível de tensão, a sensação de frustração, a exaustão física e emocional e a baixa estima pelo constante fracasso. Nenhum ser humano consegue ser perfeito, graças à Deusa!*

A busca dessa perfeição na vida, em nós e nos outros, é a pior traição à alegria e ao prazer de viver: não há espaço para apenas ser, não há espaço para o que é espontâneo, para o improviso criativo, para a leveza, para o júbilo, para a celebração. Combater o vício da perfeição é combater a mecanização e a esterilização da vida.

O que nos cabe é trabalhar em nosso aprimoramento e amadurecimento, buscando melhorar sempre como pessoa, mas com a aceitação humilde e de preferência bem humorada de nossa humanidade sempre imperfeita. E seguir nosso caminho honrando nossa singularidade e não buscando um modelo idealizado, perfeito, genérico e irreal. E protocolar e robótico!

Oremos para que, enquanto estivermos habitando esse planeta, saibamos dançar e cantar muito, saibamos ver e reconhecer todas as cores do mundo, e com verdade, alegria e emoção agradecer a Asase Yaa por nossa linda morada.

Avó Nokomis
A Mestra e o Filtro de Sonhos

Tradição dos povos nativos norte-americanos/povo ojibwe

Seu mito

Nokomis, uma das filhas da Lua, há muito tempo havia caído acidentalmente na Terra, parecendo uma estrela cadente. Com a queda, não se sabe como e nem por que, acabou dando à luz uma menina chamada de Wenonah, que tinha a beleza do luar.

Quando Wenonah cresceu e se tornou mulher, mesmo sua mãe tendo lhe prevenido muitas vezes dos perigos dessa paixão, acabou grávida de Mudjekeewis, o Vento do Oeste. Como Nokomis havia previsto, logo após o nascimento da criança – um menino –, Mudjekeewis voou de volta para seu reino no Oeste, deixando para trás, sem qualquer compaixão, a mulher e o filho recém-nascido. Logo após a partida dele, Wenonah morreu de coração partido. Foi Nokomis quem criou a criança. Chamado de Hiawatha, tornou-se, ao crescer, o maior herói lendário do povo Ojibwe.

Também chamado de Chippewa, o povo Ojibwe viveu e vive ainda hoje na região dos Grandes Lagos, entre os Estados Unidos e o Canadá. São o terceiro maior grupo populacional entre os povos nativos norte-americanos, superados apenas por Cherokees e Navajos.

Assim que a filha morreu, Nokomis pegou o bebê recém-nascido nos braços, conteve seu choro com palavras e canções gentis e colocou-o em um berço de tília para dormir. Encarregou-se sozinha da criação do menino. Em sua casa, localizada entre as praias do Grande Lago Gitche Gumee e a floresta, ensinou-lhe as primeiras palavras e contou-lhe as primeiras histórias.

Quando Hiawatha nasceu, Nokomis já era bem idosa, mas era uma mulher sábia e uma grande mestra e por isso educou o menino de uma forma muito especial. Ela ensinou a ele os segredos do Céu, da Terra e de todas as criaturas que neles habitam.

À medida que Hiawatha crescia, Nokomis ia ampliando seus ensinamentos: contou que o arco-íris era o paraíso das flores, o lugar para onde elas viajavam depois que desapareciam da Terra. Ensinou para ele a rica linguagem dos pássaros, ensinou-o a ouvir e entender os pinheiros sussurrando e as águas batendo nas pedras do lago. Ensinou os nomes de todos os animais e como falar com eles; como construíam suas tocas e esconderijos e por que alguns eram tímidos e outros, ousados.

Nos meses de inverno, a Avó ensinou Hiawatha sobre a estrela Polar Norte e a constelação da Ursa Menor, sobre a brancura da neve e sobre a beleza do gelo dos lagos. No verão, ela falou sobre as aves migratórias que voam em bandos por uma distância imensa e mostrou a Via Láctea, explicando que aquela era uma estrada larga e branca que existia no céu noturno.

Com sua Avó Nokomis, Hiawatha aprendeu a linguagem da natureza, aprendeu a chamar todas as criaturas de irmãos e irmãs e a saber que a Terra é a maravilhosa morada de todos os seres vivos.

Criado dessa forma única por uma professora tão sábia, Hiawatha, ao crescer, se tornou um um grande líder para seu povo, um exímio caçador, um guerreiro corajoso e famoso entre seus pares, um grande feiticeiro e, ao mesmo tempo, um homem justo e cheio de sabedoria. Hiawatha realizou grandes feitos e trouxe inúmeras benfeitorias para os Ojibwe, como quando lutou com Mondamin, o deus milho. Hiawatha venceu a batalha, Mondamin acabou morrendo e o herói o enterrou, conforme as instruções do próprio deus. De sua sepultura renasceu como milho, tornando-se uma rica fonte de alimento para todos.

A Avó Nokomis, além de ser a responsável pela educação desse grande herói, foi quem trouxe o filtro de sonhos como dádiva para seu povo. Embora o filtro de sonhos seja um objeto presente hoje na cultura de muitos povos nativos norte-americanos, ele surgiu primeiramente entre os Ojibwe. Para eles, decifrar as mensagens reveladas nos sonhos é essencial para se viver uma boa vida. Acreditam que, quando vem a noite, o ar se enche de sonhos, tanto bons como ruins. Alguns sonhos, mesmo sendo pesadelos, são bons e podem conter uma importante mensagem do Grande Espírito. Outros sonhos, no entanto, podem conter energias ruins que flutuam à nossa volta e podem nos fazer mal. O filtro tem a função de separar os sonhos bons e importantes daqueles que são maléficos.

A história mítica do aparecimento do filtro de sonhos é assim: quando Hiawatha era ainda um pequeno menino, numa noite em que ele e sua avó estavam indo se deitar, ela observou que próximo do lugar onde iam dormir havia uma aranha muito grande tecendo sua teia. Nokomis sentiu que aquela era uma aranha diferente das outras, parecia ser mágica. O menino se assustou com o tamanho dela e pegou uma pedra para tentar matá-la. Nokomis o impediu dizendo: "Pare e observe como ela tece. Não pode ser uma aranha normal. Há algo de especial nela". O garoto então se afastou, deixou a aranha em paz e eles foram dormir.

Ao amanhecer Nokomis viu de novo a aranha tecelã perto deles. Então a aranha, olhando de maneira firme para a Avó, assim lhe falou: "Muito obrigada por salvar minha vida. Vou lhe dar um presente como agradecimento por isso. Na próxima Lua Nova vou fiar uma teia em um objeto que vou construir. Quero que você observe com atenção e aprenda como tecer os fios, porque esta teia servirá para capturar todos os maus sonhos e energias ruins durante a noite e, como com o nascer do dia eles se desfazem, não vão poder prejudicá-la. E essa teia terá um pequena abertura no centro para deixar os sonhos bons passarem e chegarem até você com as mensagens do Grande Espírito".

Quando chegou a Lua Nova, como prometido, a aranha voltou e começou a tecer, dentro de um galho de árvore que havia torcido em forma circular, uma grande teia. E ela disse para Avó Nokomis: "Preste muita atenção no que estou fazendo e amanhã faça outro objeto igualzinho a esse. Use-o sempre pendurado perto de onde vai dormir e sempre terá só sonhos benéficos".

No dia seguinte, Avó Nokomis construiu um objeto exatamente como a aranha havia lhe instruído: primeiro usou varas de salgueiro enroladas com couro para fazer um círculo. Depois, dentro dele, teceu uma intrincada teia com fibras vegetais para prender os maus sonhos, mas deixando um espaço circular em seu centro para deixar passar os bons, com as mensagens vindas do Mundo Sagrado. Enfeitou o amuleto com contas e sementes coloridas para deixá-lo bem bonito e colocou nele uma pena de águia para trazer coragem e uma pena de coruja para trazer sabedoria. E preso a um cordão, o pendurou próximo ao local onde ela e Hiawatha dormiam. E desse dia em diante eles só tiveram sonhos bons. E foi assim nasceu o primeiro filtro de sonhos.

Avó Nokomis, encantada com a beleza e o poder desse objeto sagrado, generosamente ensinou todo o povo Ojibwe a confeccionar esse incrível talismã.

O que Avó Nokomis pode ensinar
A ver a vida de forma sensível, poética e amorosa

Com sua sabedoria delicada e amorosa, Vovó Nokomis traz uma voz ausente e, ao mesmo tempo, extremamente necessária nesses tempos em que o truculento e o tosco são muitas vezes enaltecidos.

Tempos em que muitos pregam de forma implícita e às vezes até explícita que os sentidos devem ser amortecidos, os sentimentos neutralizados, a sensibilidade cerceada, em que deve imperar a lei do mais forte e do mais poderoso, pois, afinal, é dessa forma que se vence na vida. Vivemos na era da indelicadeza!

Nokomis, essa adorável avó sagrada, representa exatamente o contrário de tudo isso, graças à Deusa!

Ela traz uma visão sensível e poética para a vida: escuta o baixinho, o pequeno, o quase inaudível; trata com toda gentileza aquilo que é belo, frágil e delicado; dá a máxima atenção ao sutil, ao misterioso, ao fantástico, e respeita com igualdade e admiração todas as criaturas do cosmo.

A Avó Nokomis ouve as árvores e os riachos, olha para o Universo e se deslumbra com sua beleza, observa e protege as aranhas feiticeiras, se irmana com os animais e aprende sua linguagem não falada, presta atenção às mensagens que o Grande Espírito envia pelos sonhos, constrói objetos mágicos e, acima de tudo, com desprendimento, amorosidade e ternura distribui seu saber.

Nokomis é uma linda e ancestral imagem simbólica do melhor do Princípio Feminino na sua versão luminosa. Quanto nos faz falta uma energia assim!

Ela é também uma Pessoa Sagrada que, quando evocada, assim como o filtro de sonhos que deu para seu povo, pode nos proteger ajudando a filtrarmos e a descartarmos as energias más que nos rodeiam. E nos ensina a ouvir a voz do Grande Espírito e das Deusas, para que nos guiem no bom caminho, o que tem a ver com nossa essência, nossa alma e nossa verdadeira humanidade.

E para que, dessa forma, cada uma trilhando com coragem uma boa vereda, possamos nos juntar para construir um mundo melhor e mais belo, no qual muitas outras Avós Nokomis possam espalhar suas bênçãos e sabedoria.

Bari Gongju
A Xamã

Tradição xamânica coreana

Seu mito

A península coreana, essencialmente montanhosa, era povoada há mais de 5.000 anos por tribos de tradição xamânica vindas da Sibéria. Formaram um primeiro país em 2.333 a.C., ligado à legendária dinastia Dangun. Essa formação durou até 1.120 a.C., quando foram invadidos e conquistados pelos chineses, que impuseram a filosofia e a religião que tinham na época da conquista – o confucionismo – que enfatizava o racionalismo e o pragmatismo.

Dessa forma, as tradições xamânicas do antigo povo coreano foram se perdendo e somente fragmentos de seus mitos foram compilados por eruditos confucionistas e depois por budistas, mas modificados para se adequarem a suas próprias crenças.

A tradição xamânica coreana, porém, foi parcialmente preservada até hoje pelos habitantes das montanhas e dos campos em redor, no folclore, em rituais e em lendas transmitidas oralmente. A história da princesa Bari Gongju, que existe em várias versões, é uma das mais conhecidas.

Contam que há muitos anos havia um rei que só tinha filhas. Já tinha seis meninas e nada de ter um filho para sucedê-lo no trono. Quando a rainha engravidou novamente, ele se encheu de esperança. Mas, quando nasceu sua sétima filha, ficou furioso. Ordenou a um servo que enrolasse a criança num manto, a colocasse numa cesta e a jogasse no rio. A rainha implorou que ao menos ela pudesse lhe dar um nome, ao que o rei assentiu. A menina recebeu o nome de Bari Gongju, ou "princesa abandonada".

Jogada no rio, foi protegida por tartarugas douradas e por dragões até ser salva por um casal idoso que a criou como filha.

Um dia, quando Bari tinha quinze anos, o Deus da Montanha apareceu para ela. Contou que seus verdadeiros pais, o rei e a rainha, estavam muito doentes, quase à morte, e que somente a água da vida, cuja fonte ficava na Montanha Sagrada no Mundo dos Mortos, poderia salvá-los. Disse também que as outras seis filhas, suas irmãs, haviam se recusado a fazer isso, pois era uma jornada extremamente difícil e perigosa.

Condoída, Bari Gongju resolveu ajudá-los. Despediu-se dos pais adotivos e se dirigiu ao palácio real. Lá chegando, contou aos reis que era a sétima filha deles, a princesa abandonada, e se prontificou a ir buscar a água da vida para salvá-los.

Seus pais prontamente aceitaram seu sacrifício! Então, Bari Gongju vestiu-se como um rapaz para se proteger melhor dos perigos do caminho e começou sua longa jornada para o Mundo do Outro Lado. Caminhou da Estrela Polar Norte até a Estrela Polar Sul. Em seu trajeto encontrou a Velha Fazendeira do Céu, que ordenou que ela semeasse um grande campo sozinha. Ela levou muito tempo para fazer isso, mas cumpriu a tarefa. Depois passou pela Lavadeira do Céu, que a fez lavar toda a roupa preta até que virasse branca. Ela conseguiu o feito e acabou gerando, com sua conquista, os fortes ventos de monções*.

---

* Ventos de monções demarcam um tipo de variação climática que ocorre no Sul e Sudeste da Ásia e que varia conforme as estações, propiciando a ocorrência de intensas chuvas em um período do ano e secas rigorosas em outro.

Finalmente chegou ao sopé da Montanha Sagrada que levava ao Mundo dos Mortos. Nesse momento, vieram a seu auxílio inúmeras tartarugas douradas que formaram uma ponte para ela descer com segurança o profundo abismo. Chegando ao Mundo dos Mortos, ainda vestida como um rapaz, achou a fonte da água da vida. Mas a fonte era protegida por um Guardião, um velho, feio e irascível homem. Humildemente ela lhe pediu um pouco da água, mas ele disse que só lhe daria se ela pagasse. Como ela não tinha dinheiro, se ofereceu para trabalhar como sua serva em troca de um pouco da água. Ele concordou e ela trabalhou incessantemente por três longos anos.

Quando estava prestes a cumprir seu tempo de trabalho e a conseguir a água tão desejada, o Guardião, não se sabe como, descobriu que ela era uma mulher. Aí mudou de ideia e de exigência. Disse que agora só lhe daria a água se ela se casasse com ele. Ela então aceitou seu pedido de casamento e teve com ele sete filhos. Depois do nascimento da sétima criança, o Guardião da fonte e, agora seu marido, disse que ela realmente merecia e lhe deu a água da vida.

Levando o precioso elixir, Bari Gongju fez todo o longo caminho de volta, do Mundo dos Mortos até o palácio real. Mas não voltou sozinha: além do remédio salvador, levou o marido e os filhos. Haviam se passado mais de dez anos desde sua partida.

Ao chegar ao palácio, viu que estava acontecendo uma cerimônia fúnebre; os reis, depois de anos de sofrimento com a doença misteriosa, haviam finalmente morrido. Então Bari Gongju fez um milagre: aspergiu a água medicinal em seus corpos e os trouxe de volta à vida.

O rei ficou tão agradecido que ofereceu um lugar de honra no palácio para ela, o marido e os filhos morarem, mas ela recusou a oferta. Queria voltar para o mundo espiritual, para a Montanha Sagrada e o Mundo dos Mortos com toda sua família. E assim o fez.

Foi dessa forma que Bari Gongju, a princesa abandonada, se tornou a primeira xamã coreana e a deusa que guia as almas dos mortos em sua jornada final.

Hoje o xamanismo coreano convive, de forma paralela, com outras religiões, especialmente fora dos modernos centros urbanos. É praticado especialmente por mulheres do povo que são chamadas de *mudang*, que quer dizer xamã em seu dialeto. A contação do mito de Bari Gongju faz parte de rituais fúnebres e serve para ajudar os mortos em seu caminho para o Outro Mundo.

Essa lenda também é contada para mulheres, em um tipo de ritual xamânico, como forma de libertá-las do *han* – o ressentimento – que os coreanos consideram que atrapalha muito a vida da pessoa, além de dificultar a passagem para o Outro Mundo quando ela morre. A princesa Bari oferece às mulheres coreanas um modelo feminino mais amplo que o limitado e submisso papel dado a elas pela cultura coreana, fortemente patriarcal. Essa repressão feminina pode gerar muito *han*, e ouvir essa história ajuda a liberar o ressentimento acumulado.

Afinal, apesar de Bari Gongju fazer sua jornada para salvar os pais que a abandonaram, mostrando ser uma filha exemplar dentro da visão coreana, fez seu caminho sozinha de forma muito corajosa, tomando decisões e agindo por conta própria. E, no final, se recusou a viver a vida do pai (recusou a oferta de morar no castelo) e escolheu ter sua própria vida, morar onde queria e virar uma xamã. Nesse sentido, para as mulheres coreanas, é um exemplo feminino libertário e ouvir sua lenda é, de alguma forma, curativo.

O que Bari Gongju pode ensinar
A resgatar as medicinas ancestrais femininas

Entre outras múltiplas possibilidades interpretativas, a deliciosa história dessa xamã vem nos lembrar da importância de recuperarmos os conhecimentos ancestrais femininos de cura: do corpo, da mente e da alma. Essas antigas medicinas praticadas especialmente pelas mulheres, e que foram relegadas ao esquecimento porque ta-

xadas de superstições, crendices de gente tola, bobagens inócuas de tempos irracionais e não científicos.

Que arrogância de nossa cultura considerar que só através de um rigoroso método científico podemos chegar à verdade! A vida e a natureza são mais complexas e misteriosas que isso. Precisamos abrir nossas mentes quando nos deparamos com soluções eficazes para algumas questões, dores e doenças humanas que a ciência ortodoxa ainda não tem como explicar. E, vejam, isso não quer dizer, de forma alguma, descartar as descobertas científicas e achar que a Terra é plana, por exemplo. Crenças como essas só demonstram a escolha deliberada da ignorância! Precisamos manter a cabeça aberta para considerar que podem existir outras formas de obter conhecimento e informações válidos que não sejam exclusivamente através do caminho científico.

Nossas ancestrais acumularam um enorme e rico conhecimento sobre as artes da cura adquirido pela observação cotidiana e prática, por uma intuição e sensibilidade aguçadas, seguidas de experimentações para comprovação, pela aplicação de soluções em milhares de casos e, no caso das parteiras, pelo aprendizado adquirido no trato milenar dos corpos femininos.

Esses conhecimentos tão valiosos foram sendo passados de geração em geração basicamente de forma oral, de mestras para aprendizes, como um verdadeiro ofício. E tudo foi descartado como se fosse inútil por uma cultura que desvaloriza tudo que não se encaixa em uma visão estritamente racional, lógica e científica.

São esses conhecimentos que precisamos recuperar. Nas ervas, nos chás, nos caldinhos reconfortantes e recuperadores, nos emplastos, nos benzimentos e rezas, no toque ou imposição das mãos, nas danças e cantos rituais, nos partos fisiológicos auxiliados por parteiras, nas simpatias e remédios caseiros para tratar várias doenças e muito mais. Temos um arsenal poderoso para nos auxiliar a buscar a saúde, numa visão que vai muito além da ausência de doenças.

Que possamos resgatar e valorizar esses antigos conhecimentos e usufruir de seu poder curativo. E que Bari Gongju nos ajude honrar nossas corajosas ancestrais – erveiras, benzedeiras, parteiras, xamãs, sacerdotisas, feiticeiras e bruxas – as curandeiras de todos os tipos!

Ceres
A Senhora da Terra Cultivada

Tradição greco-romana

Seu mito

Ceres era a deusa romana da terra cultivada, da agricultura e dos cereais: a própria imagem da Mãe-Terra provedora de alimentos. Como deusa regente das regras agrícolas, foi ela quem instruiu a humanidade sobre os ciclos da Terra e as técnicas do arado, do plantio e da colheita. Também foi ela que ensinou os mistérios da transformação dos grãos em pão – o principal alimento dos povos antigos – e em bebidas fermentadas.

Era Ceres quem fazia os grãos e os frutos amadurecerem para que pudessem ser colhidos, sendo a responsável pela qualidade e pela quantidade das colheitas. Para isso, contava com o auxílio de doze pequenas divindades encarregados de aspectos específicos da lavoura.

Como grande mãe nutridora da humanidade, contar ou não com suas bênçãos podia significar tanto a abundância de alimentos quanto ter de lidar com a fome da população.

Os animais sagrados de Ceres eram a porca, símbolo da fertilidade; o cavalo, por seu papel na agricultura, e a cobra que, por viver junto à terra, é profunda conhecedora de seus segredos.

Habitualmente, a deusa era representada como uma mulher madura, de cabelos claros caindo sobre os ombros, numa clara referência aos campos de grãos maduros. Era comum que uma coroa de espigas de trigo coroasse sua cabeça, assim como a papoula, símbolo de fecundidade. Em suas mãos carregava a foice de corte, um instrumento da agricultura, e a cornucópia, símbolo da abundância, ou um cesto cheio de grãos, frutas e flores.

A palavra Ceres possui raiz indo-europeia e significa crescer ou criar; é dela que deriva a palavra cereal. Ceres também é relacionada à cerveja, que em latim é grafada *cervisiae*, batizada pelos romanos em homenagem à deusa.

Em honra a Ceres numerosos festivais eram realizados, normalmente após as colheitas, para agradecer os resultados obtidos nos campos. Dentre eles, o mais importante era o Cereália ou *Lude Cerealis*, que tinha como sede o templo de Ceres no monte Aventino (Roma), mas que ocorria também em todos os templos dedicados à deusa no mundo romano.

A antiga religião romana era politeísta e incluía um número imenso de divindades que ia sendo aumentado conforme Roma conquistava novos povos: os deuses dos conquistados eram sincretizados com deuses romanos ou incluídos "romanizados" em seu panteão. Isso aconteceu especialmente no caso da Grécia e por isso chamamos essa mitologia de greco-romana.

Mas, como os romanos tinham uma visão muito mais prática da vida, os deuses gregos na religião romana perderam as características mais abstratas, filosóficas e simbólicas e adquiriram uma versão mais concreta e pragmática. Foram atribuídas a eles funções ligadas à vida social e política.

A deusa grega Deméter foi sincretizada em Ceres, no século 5 a.C., e desde essa época Ceres e Deméter se misturam nos relatos míticos e nos rituais. Assim como Deméter e Perséfone, a filha de Ceres com Júpiter/Zeus, Proserpina foi raptada pelo tio Plutão/Hades, que depois se casou com ela. Depois de muito sofrimento e busca, Ceres consegue encontrar a filha que passa então seis meses no mundo superior com a mãe e seis meses no mundo subterrâneo com o marido.

Especialmente no mundo romano, esse mito de Ceres e sua filha remetia às estações do ano e à agricultura: Proserpina descia ao mundo subterrâneo no outono e ali permanecia durante o inverno como semente, renascendo para o mundo superior na primavera como grão e fruto.

O que Ceres pode ensinar
A semeadura, o cultivo, a colheita

Ceres vem nos lembrar de que, se temos uma dimensão psíquica e espiritual, também temos uma dimensão material da vida, que deve ser valorizada e cuidada tanto quanto as outras duas. Negligenciar qualquer uma delas implica em deixarmos que uma parte nossa exista de forma falha, o que impede nosso amadurecimento integral como pessoa adulta, responsável pela própria vida.

Como vivemos numa cultura predominantemente materialista, na qual, na maior parte das vezes, os símbolos de sucesso, prestígio e valor pessoal estão ligados aos bens materiais que a pessoa tem ou aos quais tem acesso, quem não concorda e não adere a essa visão limitante e unilateral muitas vezes parte para o extremo oposto. Acredita que a parte material da vida é menor e que o que vale é "seguir o que manda o coração", "o importante é ser feliz", "fazer o que gosta" e por aí vai...

Claro que tudo isso é realmente importante, mas desde que nessa busca estejamos pisando o chão firme e não flutuando nas nuvens da fantasiam deixando os outros arcarem com os custos de nossas escolhas.

Temos que ter claro que a dimensão material da nossa vida é responsabilidade nossa, que não pode ser "terceirizada". Podemos inclusive decidir ter uma vida extremamente simples e frugal, com o menor nível de consumo possível, mas arcando com as consequências, pagando o preço por nossa opção. Não podemos deixar que os outros nos salvem de nossas agruras financeiras e se responsabilizem por nossa sobrevivência material.

E nós, mulheres, que fomos impedidas por milênios de garantir nosso próprio sustento para que nos mantivéssemos dependentes, precisamos ter isso muito claro em nossa mente: poder nos sustentar e sustentar nossas escolhas é essencial para sermos verdadeiramente donas de nossos narizes. Afinal, não existe liberdade sem possibilidade de escolher. E as verdadeiras escolhas são aquelas em que, além de trabalhar por elas, arcamos com as consequências e pagamos seu preço.

Escolher e esperar que alguém arque com os custos – inclusive financeiros – é coisa que só faz sentido quando somos crianças. E é exatamente por isso que nessa fase da vida as decisões estão muito mais nas mãos de nossos pais e responsáveis do que na nossa.

Óbvio que essas palavras se dirigem para quem tem o privilégio de poder fazer escolhas; infelizmente a maior parte das pessoas em nosso país luta no seu dia a dia somente para sobreviver. Mas, para quem tem essa possibilidade, bancar suas opções na vida em todas as dimensões é tarefa intransferível.

E a vida é construção: psíquica, espiritual e material. Tudo envolve tempo, trabalho, comprometimento, foco e energia. As coisas não vêm de forma mágica. Existe magia na vida, mas é de outra ordem. Não é a magia da varinha de condão que transforma nossos desejos em realidade com um simples toque, sem qualquer esforço. Não dá para querer colher, sem arar, semear e cuidar do plantio – e mesmo fazendo tudo isso, não há total garantia de "colheita farta".

Ceres como deusa da Terra Cultivada simboliza essa verdade com perfeição: a colheita é fruto de escolhas, de trabalho, de tempo, da dedicação e da energia que colocamos para alcançar o que queremos. E, sendo realista, também de um pouco de sorte e das bênçãos da Deusa!

Cerridwen
e o Caldeirão Mágico

Tradição celta/galesa

Seu mito

Cerridwen, deusa anciã de origem galesa, é a guardiã do Caldeirão Sagrado, um símbolo central e feminino da tradição celta. O Caldeirão por quem Cerridwen é responsável é, para os celtas, a origem da vida, da sabedoria, da inspiração e da magia. Ele simboliza o ventre da Grande Mãe, fonte de criação, transmutação, regeneração e renascimento. É Cerridwen quem prepara as poções mágicas e quem garante que o fogo que aquece o caldeirão nunca se apague, para que tudo que esteja dentro dele ferva continuamente.

Toda matéria, energia e vida surgem dele para acabar voltando para ele quando chegam ao fim do que lhes foi destinado. Dentro desse caldeirão alquímico, todos os "ingredientes" que para ele voltam são dissolvidos, misturados na fervura e depois recombinados, numa perpétua atividade transformativa.

Os conteúdos estão em constante mesclagem sem ordem de importância e sem exclusão: não há descarte e nem separação entre o bom e o mau, o bem e o mal, o joio e o trigo, os salvos e os condenados, entre o nós e os eles. Todos e tudo são iguais para a Mãe em seu Caldeirão Cósmico, numa visão muito mais igualitária e inclusiva do que a das religiões patriarcais.

Cerridwen, apesar de ser uma deusa anciã, tem o poder da metamorfose, podendo se transformar a seu desejo e conveniência em uma mulher madura, em uma jovem ou em qualquer animal. O animal que lhe é consagrado é a porca branca, símbolo da fertilidade. É associada também à Lua e aos dons de inspiração e profecias.

Conta o mito que Cerridwen vivia no lago Bal, no norte do País de Gales, junto com seus dois filhos gêmeos, a filha Creirwy (a Bela) e o filho Morfran (o Corvo). Enquanto a moça era de uma beleza estonteante, o rapaz era deformado e feio. Preocupada com a aparência do filho – que ela não tinha o poder de mudar mesmo sendo uma deusa – Cerridwen decidiu preparar uma poção mágica no seu Caldeirão que conferisse a ele os dons da inspiração, da magia e da sabedoria, transformando-o em um grande bardo, um inigualável trovador.

Demorou muitos anos até Cerridwen achar a combinação certa de ingredientes. Quando ela finalmente conseguiu descobrir a fórmula perfeita, derramou os elementos no Caldeirão fervente e chamou para ajudá-la a mexê-lo um rapaz chamado Gwion. Gwion começou a mexer a mistura com tanta força e rapidez que o líquido borbulhante espirrou para fora e três gotas caíram em sua mão. O Caldeirão então tombou e todo o resto do líquido caiu, espalhando-se pelo chão. Sentindo a ardência da queimadura, o rapaz colocou, sem pensar, a mão na boca para aliviar a dor. Ao ingerir o líquido que espirrara em sua mão, mesmo sendo muito pouquinho, adquiriu instantaneamente todo o conhecimento e a sabedoria do mundo.

Enfurecida pela perda do precioso elixir, Cerridwen correu atrás do rapaz para puni-lo. Ele, para fugir da ira da deusa, correu e, usando seus novos poderes, se transformou primeiro em lebre, depois em peixe e depois em pássaro. Mas ela, muito brava, continuava a caçá-lo sem parar, transformando-se na sequência da perseguição em galgo, depois em lontra e depois em falcão. A corrida tornou-se uma guerra entre os poderes mágicos dos dois.

Quando Cerridwen estava prestes a alcançá-lo, já muito cansado da perseguição Gwion avistou um monte de trigo num celeiro e mergulhou no meio da pilha, transformando-se em um dos grãos, certo de que ela não iria encontrá-lo. Mas ela, incansável e extremamente furiosa, aguçou sua visão, transformou-se numa galinha negra, ciscou no trigo, encontrou o fugitivo e o engoliu.

E aí... nove meses e dez lunações depois da semente engolida e gestada no ventre de Cerridwen, nasceu um lindo menino. Apesar de ter tomado a decisão de matá-lo assim que nascesse, Cerridwen ficou tocada por sua beleza e desistiu do intento, mas também não quis ficar com ele. Colocou o menino em uma bolsa de pele de lontra e jogou-o no mar. Dias depois, o príncipe Elphin, passeando à beira-mar, ouviu o choro da criança. Vendo aquele menino tão belo, levou-o para seu reino, deu-lhe o nome de Taliesin, que significa "testa radiante" e o criou.

Ao crescer, Taliesin tornou-se o mais famoso bardo da história da Bretanha! Era dotado de fantástica sabedoria e inspiração, um grande músico e poeta, conselheiro de reis, exímio mago, considerada genuína encarnação da sabedoria druídica.

O que Cerridwen pode ensinar

A *alquimia de nossas experiências*

Vivemos em uma cultura de massa que quer nos encaixar em modelos pré-estabelecidos para que sejamos facilmente manipulados: nos querem rebanho. E para nós, mulheres, isso é uma exigência ainda mais pesada. Mas moldar-se a uma forma cultural e social pré-fabricada não é coisa para gente: se até cada grão de areia tem sua singularidade, imagine um ser humano!

Na verdade, uma das tarefas mais importantes na vida de qualquer pessoa é desabrochar, ampliando, aprofundando, mas tam-

bém refinando aquilo que se é verdadeiramente. Esse é um trabalho para toda a vida e envolve o ser integral. É preciso tornar-se a árvore contida na semente, como diz o junguiano James Hillman. Isso é cumprir nossa missão e o destino humano.

E é ao alcançar nossa singularidade, aquilo em que somos únicos, que podemos doar o nosso melhor, pois só a nós cabe fazer isso. Essa é a única forma de construirmos uma sociedade mais plural, rica e humana; só assim podemos almejar transformar o mundo no fantástico caldeirão criativo e mágico que ele pode ser.

Cerridwen vem nos trazer duas lições preciosas para ajudar a cumprir essa nobre missão.

A primeira é compreender que nossa jornada na vida nunca é linear, muito menos uma somatória lógica de etapas. Podemos até pensar que andamos em linha reta do nascimento até a morte, mas se pararmos para perceber o que nos acontece vemos que encontramos repetidas circunstâncias em nossa vivência que parecem ser as lições particulares que precisamos aprender.

Como o Caldeirão de Cerridwen – circular na própria forma – nosso caminho nesta vida também é circular. Aliás, mais que circular, é espiralado ou circum-ambulatório*. Circum-ambular é ir aprendendo e compreendendo, ao percorrer círculos cada vez mais amplos e profundos em torno de um determinado tema. Vamos espiralando, ampliando nosso autoconhecimento, nossa consciência, nossa maturidade e com isso apurando e aprimorando quem somos em essência.

Cerridwen com seu Caldeirão também nos ensina que não é preciso descartar nada. A totalidade da nossa experiência – o que fizemos, o que passamos, nossas vitórias e fracassos, nossos sofrimentos e momentos de júbilo, nossas perdas e ganhos, tudo deve ser aproveitado como aprendizado e crescimento. Todo o vivido pode ser importante em nossa jornada se ressignificarmos continuamente o que nos acontece. Como disse o poeta, "Tudo vale a pena se a alma não é pequena".**

---

* Termo adotado por Jung para descrever a vivência do Self.
** Trecho do poema "Mar Português", de Fernando Pessoa.

Mas fazer isso acontecer implica refletir e amadurecer com aquilo que vivemos. E para isso não é possível usar as fórmulas prontas oferecidas pela cultura: é preciso que criemos nossas próprias "poções", que descubramos o sentido pessoal que damos para nossa vida. Precisamos cozinhar em nosso caldeirão interno, colocando nosso fogo, nossa energia, para amalgamar nossas experiências, aprendizados, descobertas, ideias, formando e melhorando a pessoa que vamos nos tornando.

E às vezes, de repente, quase como mágica, quando tudo parece sair errado e diferente do que planejamos, podemos acabar "grávidas" do nosso Taliesin interno: um artista e um sábio!

Euá
A Guardiã dos Mistérios

Tradição afro-brasileira/ iorubá

Seu mito

Euá ou Ewa é uma Orixá de muitos mistérios. Rege os cinco sentidos e a percepção, a imaginação, a magia, a vidência e os sonhos e as ilusões e os disfarces. É ela, como Senhora da Percepção, que proporciona aos humanos o poder de apreciar o belo, sendo por isso a patrona das artes. Mas Euá é temperamental e só estimula esse dom em quem quer e quando quer. Como Senhora da Magia, usando poções e venenos, castiga especialmente os agressores da natureza, privando-os das chamadas sensações perceptivas, impedindo-os de apreciar a beleza e trazendo-lhes confusão nos sentidos ou até a demência.

É a Senhora dos Sonhos e das Visões. Neles nós "voamos" para o Orun (Céu), porém a verdade é que não suportaríamos o choque de ficar totalmente conscientes olhando esse universo tão diferente do Aiê (Terra). Então Euá ameniza o que vemos, impregnando os sonhos e as visões de símbolos, dando uma confundida nas coisas. Nós ficamos, quando muito, com as mensagens e com uma vaga lembrança do que vimos. É ela também quem envia os pesadelos quando assim deseja.

Euá é também Senhora das Transformações e da Invisibilidade. Ela se transforma no que quer: em jovem, velha, fada, bruxa ou em qualquer animal. E pode esconder coisas das nossas vistas, tornando-as praticamente invisíveis, fazendo a gente procurar em vão... É também a Senhora das Ilusões, a que nos confunde. É regente da neblina e dos nevoeiros e quem a desafia costuma se perder na vida e acaba tendo dificuldade de reencontrar seu caminho.

São muitas as histórias sobre Euá. Conta uma delas que ela andava pelo mundo buscando um lugar para morar, quando chegou à cabeceira de um rio: lá escolheu a nascente como morada. Mas, ao se sentar, viu espelhado nas águas o Arco-Íris Serpente, o Orixá Oxumaré. Encantada com sua beleza, enamorou-se imediata e perdidamente por ele. Decidiu então voar aos Céus e morar com seu amado. Hoje no Orun, Oxumaré e Euá dançam e compartilham os segredos do Universo.

Como Senhora dos Disfarces, Euá carrega um *adô*, uma cabaça coberta com tiras de palha-da-costa, onde guarda um pó encantado que camufla quem quer proteger. Um dia o camaleão e o sapo – bichinhos indefesos e perseguidos pelos outros – pediram que ela os protegesse. Euá se sensibilizou com a situação deles e lhes concedeu um dom: passaram a poder mudar de cor, se camuflar e confundir seus perseguidores. Daí em diante, tornaram-se os animais de Euá, além das serpentes e dos pássaros.

Iroco, o Orixá Arvore, é secretamente apaixonado por Euá. Por isso ela é um dos pouquíssimos orixás que, além das criaturas da noite e das profundezas da floresta, pode ficar perto dele após o escurecer sem correr perigo. Em noites de lua cheia, Euá deita-se placidamente em suas raízes e fica, em silêncio, contemplando o céu e ouvindo o vento.

Obatalá criou o mundo: os rios, os mares, as montanhas, a vegetação, os animais e os homens. E aos homens ele deu a capacidade de pensar. Mas aí aconteceu o seguinte: os homens passaram o tempo todo a pensar; não havia um único momento em que não fizessem isso. Obcecados, não mais se alimentavam, não mais procriavam, só pensavam; com isso, a humanidade estava ameaçada.

Foi quando Euá foi consultada para ver se conseguia resolver esse grande problema. Ela imediatamente começou a trabalhar: separou o dia da noite, o claro do escuro, o frio do quente, o silêncio do som e o Céu da Terra. Para isso utilizou a Magia, a Percepção, a Visão e o Mistério. Além disso, criou o sono, o descanso, o período no qual o ser humano sai do mundo real para o imaginário, no qual "voa" conduzido pelos sonhos e se assusta com pesadelos.

E quando dormiu, "voou" e sonhou, o ser humano se modificou profundamente: sua sensibilidade e seus sentidos se aguçaram. Parou de só pensar e começou a reparar nos cheiros das coisas, nos sabores, nos sons e nas cores da natureza. Sentiu-se plenamente vivo e percebeu a beleza da vida e da natureza. Encantado, começou a pintar, a inventar uma comida cheia de sabor, a costurar roupas bonitas, a fazer música, a cantar e dançar. E nasceram as artes, a apreciação da vida e o deleite com o belo e tudo graças a Euá. E assim a humanidade foi salva!

O que Euá pode ensinar

A tirar os véus da ilusão

Como Euá é uma deusa de muitos mistérios e possibilidades, para o escopo deste livro é preciso selecionar uma só faceta e focar nessa lição. E a escolha é a dela como a Senhora da Ilusão.

Sob esse aspecto Euá pode nos levar a uma reflexão importantíssima: em que medida estamos mergulhadas em ilusões sobre o mundo, sobre nossa vida, sobre nossos outros significativos ou nem tanto assim, mas especialmente sobre nós mesmas? Em que medida estamos imersas num profundo nevoeiro interno?

Parece que muitas vezes construímos e alimentamos uma fantástica máquina de autoengano dentro de nós, que consegue nos iludir até sobre o que verdadeiramente sentimos ou queremos.

Claro que nunca alguém se conhece na totalidade; afinal, existe o imenso inconsciente, nossa Sombra nos acompanha sempre e a vida toda é uma jornada sem fim no sentido de adquirir mais e mais consciência. Há porém uma autoenganação que não é tão inconsciente de fato e se a gente refletir com profunda honestidade podemos sozinhas chegar à nossa verdade.

Algumas perguntas, se as fizermos com franqueza a nós mesmas e se as respondermos com a mesma franqueza, podem nos tirar da armadilha de fantasiar e nos fazer entrar na trilha da realidade. Afinal, é só saindo das nossas autoilusões que podemos aprender, amadurecer, mudar, criar, realizar, enfim, viver de verdade.

Podemos nos perguntar, por exemplo:

- *Será que quero isso mesmo, ou só estou me iludindo que quero, mas não estou disposta a ter o trabalho, a persistência, o esforço, a disciplina necessários para obter isso que quero?*

- *Será que quero isso mesmo, ou só estou me iludindo que quero, mas não estou disposta a renunciar àquilo que tenho que renunciar para obter o que quero?*

- *Será que quero isso mesmo ou só estou me iludindo que quero, mas não estou disposta a correr o risco de tentar, pois posso não obter aquilo que quero?*

- *Será que amo mesmo aquela pessoa ou só estou me iludindo que amo, pois gosto não do jeito que ela é, mas do jeito que gostaria que ela fosse ou do jeito que a criei na minha cabeça?*

- *Será que amo mesmo aquela pessoa ou só estou me iludindo que amo, pois tenho muito medo de ficar sozinha e de não encontrar outro alguém?*

- *Será que amo mesmo aquela pessoa ou só estou me iludindo que amo, pois o que estou fazendo é "jogando" nela a responsabilidade de tomar conta de mim?*

- *Será que sofrendo muito mesmo, ou só estou me iludindo que estou sofrendo e na verdade estou frustrada porque as coisas não saíram do jeito que eu queria?*

- *Será que sofrendo muito mesmo, ou só estou me iludindo que estou sofrendo, porque acho que se estivesse vivendo o que estou vivendo o "normal" seria sofrer?*

- *Será que sofrendo muito mesmo, ou só estou me iludindo que estou sofrendo, porque minha vida está monótona e entediante e quero colocar um pouco de emoção e drama nela?*

Essas são algumas, mas podem existir inúmeras: perguntas podem ser grandes mestras quando encaradas de frente e com a devida seriedade. Respostas honestas a perguntas difíceis muitas vezes são uma bússola para nos recolocar no caminho verdadeiro.

Que a Senhora dos nevoeiros e neblinas nos dê a coragem de sempre buscar afastar nossas brumas ilusórias para que possamos achar nossa verdadeira Avalon!

# Freya
A Poderosa

Tradição nórdica/escandinava

Seu mito

A mitologia nórdica é originária dos povos que falavam a língua germânica e viveram no norte da Alemanha e na Escandinávia desde cerca de 1.900 a.C. Muito pouca coisa foi escrita por eles sobre suas crenças. Com a forte cristianização dessas regiões a partir do século 11, sua antiga religião e seus ritos foram sendo substituídos e esquecidos. Na Islândia, apesar do país ter se tornado oficialmente cristão, possivelmente por seu isolamento, esse conhecimento se preservou e o que sabemos dessa mitologia vem principalmente da literatura medieval de lá, muito baseada nas antigas tradições.

Como de praxe, os mitos de deusas são raros e há dificuldade em encontrá-los. Duas deusas, no entanto, se destacam nos relatos míticos por serem muito reverenciadas por esses povos: são Frigga, irmã e esposa de Odin, o grande deus nórdico, e Freya.

Freya é filha de Njord, o deus do mar, e de Skadi, a deusa do gelo e irmã de Frey, o deus da abundância e da paz. Freya é a deusa do amor, da riqueza, da fertilidade da terra, da fecundidade das mulheres e da sexualidade e erotismo. É uma deusa muito bela; tão bela que seu nome era usado como sinônimo de todas as coisas consideradas muito bonitas e preciosas. Além de sua grande beleza, é uma deusa imensamente poderosa.

Freya é a personificação da terra fértil e exuberante. É casada com Odur, o deus do Sol do Verão, extremamente apreciado nessas terras geladas. Durante o inverno, com o sumiço de Odur, Freya arrasta-se por todo o mundo à procura dele e chora por sua ausência. Suas lágrimas transformam-se imediatamente em riquezas: quando caem na terra, viram pepitas de ouro; e quando caem no mar, viram âmbar.

Mesmo casada e amando seu marido, teve relações sexuais com quase todos os deuses e com outros seres míticos: era livre, autônoma em suas escolhas e dotada de muita sensualidade.

Sua posse mais preciosa é o colar mágico Brisingamen, feito de ouro e âmbar. Todos que o contemplavam diziam que era o artefato mais belo visto já visto na face da Terra. O colar Brisingamen é um objeto feminino equivalente em poder ao martelo de Thor, oferecendo proteção, fertilidade, prosperidade e harmonia dentro de todos os nove mundos da cosmologia nórdica.

Sobre como Freya conseguiu esse objeto tão valioso, conta o mito que um dia, quando ela se encontrava no reino que fica no interior da Terra, viu quatro anões – Allfrigg, Dvalin, Berling e Grerr – fabricando um belíssimo colar. Quando viu aquela joia de tamanho poder e beleza, Freya a quis imediatamente, mas os anões se recusaram a vendê-la. No entanto, disseram que lhe dariam o colar de presente se ela passasse uma noite fazendo amor com cada um deles. Sem hesitar, Freya concordou e foi assim que se tornou a dona desse colar mágico, forjado no calor ctônico. Dizem que Allfrigg colocou nele o poder de cura das doenças; Dvalin, a força fertilizadora do ventre feminino; Berling, a proteção aos guerreiros e a garantia de vitórias nos combates, e Grerr o abençoou com o poder do erotismo e do amor.

Freya também possui um belíssimo e poderoso manto feito de penas, no formato de um falcão, que lhe permite se transfigurar nessa ave e voar pelos mundos cósmicos quando o veste. Quando não quer usar o manto mágico, Freya viaja por esses mundos em uma carruagem dourada puxada por dois enormes gatos brancos. Montada em um javali chamado Hildisvin ou "porco da batalha" consegue viajar pelos mundos subterrâneos. E pode se transmutar na cabra Heidrun, com sua fartas tetas cheias de hidromel e saciar a sede dos guerreiros nos campos de batalha. O falcão, os gatos, o javali ou porco selvagem e a cabra são os animais associados à deusa.

Freya, além de todos esses poderes, é também uma Grande Deusa Feiticeira. Foi ela quem ensinou o *Seidr*, as sessões rituais de feitiçaria viking conduzida pelas Valas ou Volvas, mulheres videntes com dons proféticos. Os rituais do *Seidr* aconteciam da seguinte maneira: armava-se uma plataforma chamada "cadeira da bruxa", que ficava acima da plateia e onde uma Volva se sentava. As Volvas, nesses rituais, usavam uma capa azul, um colar de vidro também azul, um capuz de pele de cabra, seguro por uma fita feita de pele de gato branco, e um bastão com uma cobertura de metal na ponta, incrustado com pedras preciosas. Esses objetos eram símbolos de seu poder de acessar outros mundos e receber informações de lá.

Antes de começar o ritual, a Volva recebia uma refeição sacrificial feita de corações de vários animais. Depois os participantes entoavam cânticos mágicos com a intenção de induzir nela um estado de transe. Quando a Volva alcançava esse estado, a plateia fazia perguntas a ela, normalmente relacionadas às estações vindouras, às colheitas, à fartura ou escassez de alimentos, ao destino das pessoas presentes e a questões amorosas – temas ligados a Freya.

Esses rituais de profecias *Seidr* foram realizados por muitos séculos em toda a região rural escandinava, mesmo ela já cristianizada. O culto a Freya foi o último da tradição nórdica a desaparecer, demonstrando a força da deusa para esses povos.

O que Freya pode ensinar

A conquista da verdadeira liberdade sexual

Freya é uma deusa complexa, com múltiplos aspectos, o que permite inúmeras interpretações simbólicas. Como é preciso optar por uma de suas várias facetas no escopo da nossa proposta, o foco escolhido é o dela como deusa do amor erótico, que se relaciona com a questão da sexualidade feminina.

O sexo – além de um fato absolutamente natural e instintivo – é uma importante faceta da nossa autoexpressão, da busca de prazer na vida, da comunicação e da troca entre seres humanos, além de ser a forma da vida se reproduzir. No entanto, também é cercado de tantos tabus, preconceitos, crenças falsas, interdições e regras implícitas e explícitas que se tornou uma questão bastante problemática em grande parte das culturas monoteístas, especialmente para nós, mulheres. Aliás, foi ao se apropriar, literal e simbolicamente, dos corpos e da sexualidade feminina que a cultura patriarcal se estabeleceu.

Com a liberação sexual a partir da segunda metade do século 20 – e isso, vale dizer, para algumas e não de forma generalizada – muitas das questões sobre a sexualidade das mulheres finalmente pareciam estar resolvidas. Mas não foi bem isso que aconteceu. Para cada mulher há diversas complicações no caminho da conquista da verdadeira liberdade sexual, muito especialmente dentro delas mesmas. Várias armadilhas surgem nessa jornada.

Uma das práticas atuais que parece libertária, por exemplo, talvez não passe de outra "burca" que acabamos vestindo. Estou falando da questão de ver o sexo de forma bem banal, encarando parceiras e parceiros como descartáveis. Quanto mais quantidade e descompromisso, quanto menos verdadeiro o encontro, melhor!

Sexo casual pode ser muito bom, mas será que é verdadeiramente satisfatório buscar unicamente esse tipo de relacionamento sexual e de forma voraz? Será que é essa a verdadeira liberdade sexual? Não, se no fim o que restar for um enorme vazio e a sensação de solidão.

Fazer sexo com alguém é bom pela curiosidade de descobrir se será bom, por já sabermos que é bom, pelo amor que sentimos pela pessoa, pela vontade da troca de carinho, pelo calor da intimidade, por pura e simplesmente sentir tesão, pelo desejo do toque de outro ser humano ou tudo junto ao mesmo tempo. Mas, sempre como escolha livre nossa, baseada em nosso desejo real, sejamos casadas, solteiras, cis, trans, héteros, homos ou bi afetivas/sexuais.

E nunca, nunca mesmo, porque "se eu não transar vão me julgar conservadora", porque "já que eu provoquei", porque "não me custa nada", porque "já que estou aqui", porque é "o que ele espera de mim" ou "por que dessa forma ele vai me apreciar" ou porque "faz parte do pacto do casamento". É tão nefasto quanto "mulheres direitas não fazem isso", isso é só "para as que não se valorizam", "se você fizer isso antes de se casar nunca irá se casar". Todas essas expressões são um absoluto horror; são todas aprisionadoras.

Sexo bom é aquele que envolve troca, encontro, intimidade, prazer, tesão, autodescoberta e descoberta do outro, alegria de viver. Nunca deve ser usado como moeda de troca, obrigação, vontade de agradar, chantagem, poder, busca de autoestima, entorpecimento ou consumo. Ou como interdição, pecado ou coisa que só as "erradas" ou as "perdidas" fazem.

Ter uma boa vida sexual – e boa segundo uma visão absolutamente individual, podendo inclusive não se ter vida sexual alguma – é um total direito, mas também uma responsabilidade pessoal de cada uma de nós.

Que Freya, a poderosa, nos dê força para buscarmos a autonomia e a liberdade de viver também nossa sexualidade como merecemos, quisermos e de forma plena.

Iamuricumás
As Viajantes que Dançam

Tradição indígena brasileira/povo kamaiurá

Seu mito

Houve um tempo em que as índias Iamuricumás tocavam uma flauta – o *jakuí* – todos os dias. Embaladas pelo delicioso som do instrumento, elas se divertiam muito, dançando, cantando, enfeitadas com colares, penachos, braçadeiras e com lindas pinturas em seus corpos. Nenhum homem podia vê-las nessas festas. Todas as noites tocavam no *tapãim*, a casa das flautas, interditada aos homens. Durante o dia, quando havia festa, acontecia ao ar livre e aí os homens tinham que se trancar dentro de casa, pois aquele que visse alguma índia tocando seria duramente castigado por elas.

O Sol e a Lua não sabiam desse arranjo. Um dia, visitando a aldeia, viram o que acontecia. Não gostaram nada daquilo e resolveram interferir. Combinaram entre eles uma estratégia para mudar a situação.

Durante uma festa ao ar livre, o Sol apareceu enfeitado de penas e penachos e com um enorme *hori-hori* (um zunidor) começou a fazer um barulho infernal: as Iamuricumás ficaram apavoradas, não sabiam o que fazer! A Lua apareceu em seguida e gritou para elas correrem e se esconderem dentro de casa. Foi o que fizeram.

Nessa hora, os homens que tinham sido informados previamente dos planos do Sol e da Lua saíram de dentro das casas cheios de alegria e se apropriaram dos *jakuís*. Depois também aprenderam todos os cantos e as todas as danças das Iamuricumás. Daquele dia em diante foi assim que os costumes ficaram – os homens tocam, dançam, se enfeitam e cantam, e as mulheres ficam dentro de casa. E o Sol e a Lua disseram: "É assim que está certo!"

O tempo longo tempo se passou e esse novo costume se manteve. Até que um dia, quase todos os homens da aldeia saíram para pescar num rio que ficava distante da aldeia. E não voltavam. Passou um dia, passou outro, e a mulher do chefe da tribo, estranhando, pediu a seu filho que fosse ver qual era a razão de tanta demora. Ele foi até o rio e voltou com a notícia de que os homens estavam lá fazendo uma algazarra imensa e se transformando em porcos e outros bichos do mato.

A mãe ficou furiosa ao saber da novidade: que comportamento era esse, não voltar para casa e se transformar em bichos? Convocou então todas as outras mulheres da aldeia e contou o que estava acontecendo. Depois de muitas conversas, polêmicas e discussões tomaram uma decisão: iam partir, deixar de vez aquele lugar.

Levaram alguns dias no preparo da viagem, juntando o que iam levar. Chegado o dia da partida, todas se enfeitaram com penachos, colares, braçadeiras, se pintaram com urucum e jenipapo como agora só faziam os homens e começaram a cantar. Os poucos homens que não tinham ido à pescaria e estavam na aldeia começaram a criticá-las, a gritar com elas, a xingá-las, mas elas pouco se importaram; continuaram a cantar e se juntaram no centro da aldeia. E passaram veneno no corpo para se transformarem em *mamaé* (espíritos).

Então vestiram um velho índio com a casca do tatu-açu e mandaram que fosse na frente dizendo: "Agora você não é mais

gente, é tatu". E, sem interromper o canto, dançando começaram a se afastar da aldeia seguindo o tatu que ia na frente cavando a terra, mergulhando nela para sair mais à frente, abrindo passagem. E sempre dançando elas caminhavam atrás do tatu. Passaram onde estavam os maridos pescadores e eles, assustados, pediram para pararem e voltarem para a aldeia. Sem darem ouvidos, elas continuaram a caminhar, dançando e cantando. E assim foram em frente... sempre com o tatu abrindo caminho.
Caminhando, cantando e dançando passaram por várias aldeias vizinhas. E sempre que estavam passando por alguma delas, os maridos gritavam com suas mulheres ordenando que sequer olhassem para aquele festivo cortejo, mas muitas não obedeciam. Largavam tudo e aderiam ao grupo, também cantando, dançando e seguindo caminho afora.

As Iamuricumás e as muitas mulheres que se juntaram a elas seguem viajando até hoje. Caminham dia e noite sem parar, sempre enfeitadas, sempre cantando, sempre dançando. Dizem que não tem o seio direito para melhor manejar o arco-e-flecha com o qual se defendem...

O que as Iamuricumás podem ensinar
A buscar nosso lugar no mundo

A primeira parte do mito mostra claramente a passagem de uma cultura mais centrada no feminino para uma cultura patriarcal, quando os homens usurparam todo poder que as mulheres podiam ter.

É muito curioso como tantos mitos bem antigos e das mais diversas tradições relatem algo tão parecido. Eles contam de um tempo em que o poder pertencia exclusivamente às mulheres, em função de sua magia ou por terem conhecimentos secretos sobre a vida e a morte. Isso acontecia até que um dia os homens, com a ajuda de algum poder superior – no caso dessa história, o Sol e a Lua – ou pela violência tomam esse poder de forma total e definitiva. Em vá-

rios desses relatos míticos, inclusive os homens matam todas as mulheres, com exceção das meninas que eles criam sem os conhecimentos de suas ancestrais e já submissas a eles. São relatos metafóricos da força do patriarcado se impondo!

Só que esse mito kamaiurá não termina aí, como os outros. De uma forma muito surpreendente, as mulheres se rebelam, não aceitam a submissão nem um papel limitado, e partem em busca de um lugar onde possam se enfeitar, cantar e dançar livremente. Ainda não o acharam, mas continuam a viajar, procurando por ele e sem deixar de cantar e dançar.

É muito linda e emblemática essa história. Que inspiração vem dessas Iamuricumás e de suas seguidoras!

Se não nos deixam cantar e dançar, existir em plenitude, enfim, vamos tomar outro rumo e achar um lugar onde possamos, livremente e em paz, fazer isso. Mesmo que não seja fácil, mesmo que demore muito tempo, mesmo que a gente tenha que caminhar para muito longe. Isso é tomar nossa vida em nossas mãos. É poder fazer festa, poder ser feliz, poder ser livre, poder ser plena. E como é bom contar com as outras, as "irmãs", como companheiras nessa viagem, para nos alegrarmos, nos fortalecermos e nos protegermos mutuamente!

Podemos até especular que esse tatu que as guia, cavando buracos e entrando dentro da nossa Mãe Terra para abrir caminhos, vem nos dizer de forma simbólica que é Dela, além da nossa união, que tiramos a força para mudar o destino e o lugar ao qual a cultura patriarcal no relegou.

A história dessas índias brasileiras míticas fala por si; não é preciso dizer mais nada. É só aceitar a convocação, abandonar a prisão que nos é imposta e ir em busca do nosso verdadeiro lugar, cantando e dançando.

Ixchel
A Caverna da Vida

Tradição maia

Seu mito

A civilização maia, muito antiga e duradoura (de 2.600 a.C. a 1.697 d.C.), foi notável por seu nível de desenvolvimento. Os maias tinham uma complexa língua escrita, arte e arquitetura sofisticadas, conhecimentos matemáticos e astronômicos avançados, entre outras conquistas. Eles se espalharam por quase toda a Mesoamérica, região que inclui os territórios do sul do México, Guatemala, El Salvador e Belize, e parte de Nicarágua, Honduras e Costa Rica. Hoje seus descendentes ainda constituem populações consideráveis, especialmente no México e na Guatemala, mantendo algumas tradições e crenças, mescladas com as da pós-conquista espanhola.

Ixchel era a deusa maia das águas da vida, da fertilidade da terra, da medicina, da gestação e dos partos, da tecelagem e do ciclo de vida e morte. Também era conhecida como Senhora Arco-Íris e Caverna da Vida.

Era uma deusa lunar, associada à serpente, animal emblemático para essa tradição. E era representada muitas vezes de forma tríplice como são normalmente as deusas da Lua. Como jovem, aparecia segurando um coelho, símbolo de fertilidade e abundância em diversas tradições. Como mulher madura, era vista usando um antigo tear chamado tear de cintura. Como velha, segurava um vaso – símbolo do útero – de cabeça para baixo, de modo que as águas da criação pudessem estar sempre jorrando para a Terra, assegurando sua fertilidade. Era também representada de forma única como uma mulher com serpentes na cabeça no lugar de cabelos, serpentes que ela agitava quando enfurecida.

Ixchel era casada com o principal deus do panteão maia, o deus-Sol Itzamna, com quem teve treze filhos, todos também deuses e deusas. Conta o mito que quando ela se tornou amante do Sol, o deus do Trovão, Kukulkán ficou furioso com os dois. Com medo de sua fúria, Itzamna e Ixchel fugiram numa canoa. Mas Kukulkán, percebendo a fuga, enviou um terrível raio em direção ao casal. Com Itzamna, o Sol, não aconteceu nada, mas Ixchel foi despedaçada em treze partes e morreu. Porém, uma libélula cantou sobre seu corpo despedaçado por muito tempo e com esse canto amoroso e curativo Ixchel conseguiu reunir novamente suas partes e reviver. A libélula é por isso considerada seu animal mais importante.

Mesmo casada com Itzamna, Ixchel teve vários amantes. E quando se cansava do ciúmes do marido, ficava invisível por uns tempos, apenas ajudando as mulheres em seus trabalhos de parto e a cuidarem dos filhos recém-nascidos.

Havia templos dedicados a Ixchel em suas ilhas sagradas – as ilhas mexicanas Dcuzamil (hoje Cozumel) e Isla Mujeres – onde se realizavam cerimônias e rituais em sua honra. Conta a lenda que a Isla Mujeres era habitada somente por suas sacerdotisas, que eram frequentemente consultadas sobre vários assuntos por serem consideradas verdadeiros oráculos da deusa.

Em peregrinação, partindo do porto em barcos, as mulheres maias antes de se casar dirigiam-se a esses santuários para pedir fertilidade em seus casamentos, em rituais realizados em honra à deusa. Rogavam também que, quando grávidas, pudessem ter uma boa gestação e um bom parto, livres de complicações. Como parte dos rituais, depositavam nas praias da ilha esculturas em forma de mulheres em honra a Ixchel.

Quando os espanhóis chegaram a essa ilha no século 16 deram-lhe esse nome – Ilha das Mulheres – devido à existência de muitas dessas figuras votivas.

Em Isla Mujeres, hoje um ponto turístico mexicano, há um sítio arqueológico onde estão as ruínas de um templo dedicado a Ixchel, além de uma escultura em sua honra.

O que Ixchel pode ensinar

A maternagem singular

Como "Caverna da Vida", deusa da fertilidade, dos partos e gestações, da Lua e das águas, Ixchel nos convida a pensar sobre a maternidade, especialmente a maternidade exercida enquanto os filhos são pequenos.

"Mãe é tudo igual, só muda o endereço!" Vamos começar com essa frase que parece uma inofensiva brincadeirinha, mas que traz embutida uma crença travestida de verdade: que a maternidade é sentida e vivida de forma similar por todas as mulheres. Não há qualquer alusão ao fato de sermos diferentes umas das outras, de sermos pessoas singulares e de, por isso, vivermos as experiências que a vida nos traz também de formas diferenciadas.

O que se prega é que mulher que é mulher, ao se tornar mãe, tem a mesma experiência que todas as outras mães têm e tiveram, que a maternidade é uma vivência única, igual para todas. Além de se considerar a maternidade uma experiência universal, ela vem coberta de um caráter profundamente fantasioso e idealizado! Curioso é que dos homens que se tornam pais não se espera isso...

Essa visão padronizada do que deve ser uma mãe digna desse nome é mais uma das camisas de força que a cultura patriarcal usa contra as mulheres. Roguemos a Ixchel, essa deusa poderosa, que nos salve dessa armadilha!

Toda mulher que tem um filho por livre e espontânea vontade deve buscar ser uma mãe "boa o suficiente", como preconizava Winnicott*. *Mas boa mãe a seu modo, cada uma do seu jeito, cada uma como consegue exercer esse papel de acordo com sua essência. E é só isso que é possível – e não tem nada errado com esse fato.*

Claro que há responsabilidades inerentes ao exercício da maternidade: cuidar, dar afeto, educar, proteger, lutar para assegurar que os filhos tenham o suficiente para crescerem de uma forma saudável, passar valores dignos. Mas é importante frisar que isso não é só dever da mãe, o pai é tão responsável por isso quanto ela. E também os avós, os padrinhos, tios, professores... enfim, todos que amam e cuidam da criança.

E mesmo no exercício desses deveres fundamentais, como cada mãe é única na sua essência e personalidade, essa singularidade deve ser refletida na forma de exercer a maternagem. Aliás, isso começa já na gestação e no parto – existem as questões comuns a essas experiências, óbvio, mas elas também devem ser, em parte, uma vivência particular, individualizada. É a gestação daquela mulher específica, é o seu parto, e cabe a cada uma viver isso como verdadeiramente deseja e consegue, aceitando a experiência como se apresenta para ela.

Como mães temos que continuar sendo nós mesmas e não nos forçar a encaixar num modelo de mãe idealizada, o que só traz tensão, insegurança e desconforto. Na verdade, se podemos dizer algo que acaba sendo comum a quase toda mãe é o sentimento de culpa e frustração por não conseguir seguir a receita de mãe padrão, perfeita e irreal "vendida" por essa cultura opressora. Um sentimento ruim, improdutivo, que só gera sofrimento e angústia nas mulheres e que se baseia em falsas premissas.

Na verdade, a melhor coisa que fazemos para nossos filhos, além dos cuidados, do afeto e da educação é, em nossos momentos de convivência mais soltos, buscarmos compartilhar coisas que am-

---

* Donald W. Winnicott (1896/1971) famoso pediatra e psicanalista inglês, referência em psicologia infantil.

bos temos o prazer de fazer juntos, porque, aí sim, serão realmente bons momentos.

Se de fato gostamos de desenhar juntos, ou de brincar de correr, andar de bicicleta, contar e ouvir histórias, ouvir música, brincar de teatro, jogar videogame, cozinhar, fazer roupinhas para as bonecas, conversar, ir ao cinema, brincar no parque, visitar museus, cantar e dançar, nadar, ou seja, não importa o quê, é isso que devemos compartilhar. Fazer algo com nossos filhos que também nos dê prazer proporciona momentos inestimáveis para eles. Estamos presentes, fazendo juntas o que gostamos, e com apreço verdadeiro, na companhia uma da outra: isso cria momentos de calor humano, afeto, carinho, diversão, alegria.

É importante também dizer que qualquer mulher pode exercer sua forma singular de maternagem sem precisar ter filhos: pode ser com sobrinhos, afilhados, animais, projetos, causas...

Que Ixchel nos abençoe e nos ajude a ser uma mãe "boa o suficiente" e a pessoa mais autêntica possível para nossas crias!

Jacy
A Deusa-Lua

Tradição indígena brasileira/tupi-guarani

Seu mito

Os Tupi-Guarani constituíam o maior grupo de povos existentes na parte da América do Sul explorada pelos portugueses. Essa designação é linguística e se refere a um conjunto de línguas aparentadas, faladas por uma grande quantidade de nações indígenas. Não existia propriamente uma única língua, nem se compartilhava uma única cultura. Mas todos esses povos possuíam uma religião politeísta, com deuses ligados às forças da natureza e centrada na autoridade do xamã/pajé.

Como toda tradição oral, muito de sua história mítica se perdeu ou foi adulterada pelos padres jesuítas em sua evangelização e compilação. Boa parte de nosso conhecimento sobre os mitos tupis-guaranis se deve ao registro dos navegadores franceses que por aqui passaram nos séculos 16 e 17.

Em muitas tradições, o Sol e a Lua são seres divinos. Comumente o Sol é um deus e a Lua, uma deusa. Em algumas culturas isso se inverte. Por exemplo, na tradição xintoísta japonesa, Amaterasu é a deusa Sol e Tsukiyomi é o deus Lua. Para parte dos povos tupis, o Sol e a Lua tinham gênero masculino e o planeta Vênus, gênero feminino. Era chamado de Mulher de Lua. Mas a tradição tupi-guarani posterior segue a maioria das tradições e Jacy (*Ya-cy* ou *La-cy* em tupi) é a deusa-Lua e guardiã da noite, e Guaraci é o deus-Sol, seu irmão e esposo.

Conta o mito que Guaraci iluminava a Terra o tempo todo; ia do leste ao oeste e depois fazia o caminho contrário, do oeste ao leste, sem nunca desaparecer. Vivia nesse trabalho exaustivo, até que um dia se cansou de seu ofício eterno de trazer luz para a Terra e quis dormir. Quando fechou os olhos, o mundo caiu em trevas. Foi então que Tupã, o deus do trovão que criou tudo que existe, fez surgir Jacy, a deusa Lua para trazer luz enquanto Guaraci dormia. Mas Jacy era tão linda que, quando Guaraci acordou e a viu, apaixonou-se por ela. E assim, encantado, voltou a dormir para que pudesse vê-la novamente. Mas, quando abria os olhos para admirá-la tudo se iluminava e aí ela ia se deitar, pois havia cumprindo sua missão. Então Guaraci pediu a Tupã que criasse Rudá, o deus do amor, e ele permitiu que, de vez em quando, o Sol e a Lua se encontrassem na alvorada.

Conta outra história que Maraí era uma bela jovem, que amava a natureza e tinha o hábito de contemplar a chegada de Jacy, a Lua, e das estrelas. Com o passar do tempo nessa constante contemplação, nasceu nela um desejo enorme de se tornar uma estrela. Perguntou a seu pai o que poderia fazer para isso acontecer e ele lhe contou que Jacy ouvia os desejos das moças e as transformava em estrelas, quando assim o queria.

Maraí pediu fervorosamente a Jacy que acontecesse isso com ela, mas o tempo passava e nada de seu sonho se realizar. Um dia Maraí resolveu aguardar a chegada da Lua junto aos peixes do lago. Assim que ela apareceu, Maraí, encantada com sua imagem refletida na água, foi sendo atraída cada vez mais para dentro do lago, de onde nunca mais voltou. Mas, a pedido dos peixes, dos pássaros e de outros animais, Maraí não foi levada para o céu. Jacy transformou-a em uma linda planta aquática, que recebeu o nome de Vitória-Régia ou Mumuru, a estrela dos lagos.

Jacy é a deusa protetora dos amantes e da reprodução, e um de seus papéis é despertar a saudade no coração dos guerreiros e caçadores, apressando a volta para suas mulheres. É também a mãe dos frutos, presidindo a vida vegetal. Foi Jacy quem ensinou ao primeiro pajé a maneira de apaziguar os espíritos malignos e conversar com as almas dos antepassados.

É a Jacy que as míticas Icamiabás honram em sua cerimônia anual secreta e sagrada, feito em sua morada, o lago Jacy-Uará, o espelho da Lua (ver em *O legado das deusas* volume 1).

O que Jacy pode ensinar
A saber-se filha da Lua

Nós todos, seres que habitam a Terra, humanos e não humanos, somos filhos do Sol que nos traz Luz e Calor. Mas nós, mulheres, somos também filhas da Lua. De deusas Lua, como Jacy. E delas "herdamos" características.

A Lua, que leva cerca de 30 dias para dar a volta em torno da Terra, tem um ciclo complexo, com mudanças diárias e quatro fases diferentes – crescente, cheia, minguante e nova. O Sol tem um ciclo pequeno e marcado: de dia está presente, mesmo que encoberto por nuvens ou chuva, e de noite, ausente, reaparecendo nas primeiras horas da manhã. É uma fonte constante de luz e calor.

A Lua segue uma ordem diferente. Aparece à noite e brilha na época da lua cheia, seu brilho pode ser difuso e sua luz fica diminuída nas épocas de lua crescente ou minguante, e some completamente do céu, deixando a noite numa tremenda escuridão na lua nova. E às vezes, nessa época, surge durante o dia, numa versão pálida, mas visível. Além de todas essas mudanças, sua hora de surgir no céu varia diariamente. Porém, apesar dessa mutabilidade, tem um ciclo constante. A lunação, o tempo transcorrido entre duas luas novas consecutivas, dura aproximadamente 29 dias e meio e nesse tempo a Lua vive sempre suas quatro fases. E, ao acabar uma lunação, a Lua sempre recomeça outra.

Agora, vamos pensar em nós, mulheres. Assim como a Lua, somos essencialmente cíclicas e mutáveis. É só pensar em nosso ciclo hormonal mensal que fica muito evidente nossa inerente ciclicidade. E ainda para reforçar nossa "filiação" lunar, temos, durante nossa idade fértil, normalmente um ciclo menstrual de duração muito parecida com o ciclo da Lua: 28 ou 29 dias. Ou seja, o ciclo lunar e o ciclo menstrual médio têm uma duração quase igual. Inclusive a palavra menstruação é etimologicamente relacionada à Lua: é derivada do latim mensis *(mês) e do grego* mene *(lua).*

Da menarca à menopausa vivenciamos em nosso corpo a experiência concreta dos ciclos. E durante esse tempo entre o início e o fim da menstruação, que dura em média uns 40 anos, nosso ciclo se repete mensalmente a não ser que estejamos grávidas, amamentando ou, como hoje é possível, o interrompamos artificialmente. É a constância do ciclo dentro da sua mutabilidade, assim como a Lua.

Mas isso não acontece só como uma experiência física. O corpo e a psique masculinos são regidos pelo ciclo do sol, o ciclo do dia/noite. O corpo e a psique das mulheres são regidos, além desse ciclo solar de 24 horas, pelo ciclo lunar, de alteração diária e com duração aproximada de 29 dias. Isso faz com que o ritmo da psique e de sua energia nas mulheres seja muito mais complexo e muito mais mutável. Daí poder parecer que nós, mulheres, temos uma disposição mais flutuante.

Para nós, as circunstâncias externas têm naturalmente que ser levadas em conta para definir o comportamento adequado, mas pelo caráter do princípio lunar que vive dentro de nós, com suas disposições internas sempre mutáveis, podemos ter comportamentos diferentes no tempo e aparentemente contraditórios. Isso porque a mudança não acontece só na vida externa, é uma constância na vida interna feminina, que tem seus fluxos e refluxos de energia psíquica.

Como diz a junguiana Esther Harding: "... para as mulheres a própria experiência da vida é cíclica. A força da vida se movimenta e flui em sua experiência efetiva, não só em um ritmo diurno e noturno como para o homem, mas também segundo os ciclos lunares..."

Claro que com a entrada no mundo do trabalho, feito à imagem e semelhança do funcionamento masculino, as mulheres tiveram que se adaptar "na marra" e desconsiderar sua natureza lunar, mutável e cíclica. Com isso, frequentemente nos afastamos de nossas próprias sensações, emoções e sentimentos e "adoecemos" de ausência do princípio feminino dentro de nós. Vivemos longe da Lua!

Temos que resgatar o respeito e honrar nossos ciclos, aceitando-os e procurando viver de acordo com eles. Com isso não estou sugerindo reconstruirmos Tendas da Lua em tudo quanto é lugar ou deixarmos o mundo externo para lá nos dias que nossa vida hormonal e psíquica assim pede, porque isso é inviável na vida que levamos. Mas é muito possível fazer coisas boas e saudáveis a esse respeito. Podemos em primeiríssimo lugar aceitar que somos filhas não só do Sol, mas também da Lua. E que nosso caráter cíclico e mutável não é fraqueza, não é leviandade, não é desvantagem. É só uma característica que nos distingue dos homens e, se bem usada, pode acrescentar e enriquecer a visão das coisas e do mundo.

Em segundo lugar, podemos, sem nos julgar ou brigar com isso, buscar nos momentos de refluxo energético e de desejo de introspecção, dentro do nosso possível, acessar nosso mundo interno e ver quais sinais ele nos envia. E novamente, dentro do nosso possível, atender às suas solicitações. Dessa forma, em vez de lutar contra o que vem de dentro como uma forte onda, surfar nela, aproveitando o que ela traz.

Em terceiro lugar, podemos buscar conhecer melhor como se comporta e se expressa nossa ciclicidade. Apesar dos ciclos femininos terem um aspecto muito parecido, são ao mesmo tempo muito individualizados. Conhecer os nossos por meio de uma observação atenta, gentil e cuidadosa é de tremenda ajuda para aumentar nosso autoconhecimento, estreitar nossa ligação com o feminino profundo e nos colocar a seu serviço, aproveitando melhor essa natureza cíclica que vive dentro de nós.

E, em quarto lugar, podemos usar rituais solitários ou compartilhados para celebrar momentos marcantes nessa nossa mutabilidade constante. Rituais são sempre bem-vindos para nossa psique que fala a linguagem simbólica. Podemos em rituais, que podem ser *bem singelos, não precisam de sofisticação, celebrar a Lua que vive nos céus e a Lua que vive dentro de nós.*

Podemos assim honrar Jacy como a irmandade feminina das Icamiabás fazia no ritual em sua homenagem, celebrando o fato de serem mulheres e filhas da Lua.

Lilith
A Libertária

Tradição suméria e hebraica

Seu mito

Lilith é uma divindade muito arcaica e complexa, que foi mudando de identidade com o passar do tempo. Na verdade, há tantas versões controversas sobre sua história e origem que mais confundem do que trazem compreensão sobre quem ela foi/é do ponto de vista mitológico. E conforme os valores patriarcais foram se afirmando, a figura de Lilith foi sendo transformada, adquirindo características demoníacas e de maneira cada vez mais acentuada. Com tantas mudanças de personalidade mítica é mais correto colocá-la em duas tradições diferentes sem continuidade entre elas.

Hoje acredita-se que Lilith era originalmente uma deusa suméria chamada Belit-iti ou Belili. Os Sumérios, um dos povos que habitaram a Mesopotâmia, construíram uma das primeiras e mais sofisticadas civilizações do Mundo Antigo. Foram eles, por exemplo que desenvolveram a primeira linguagem escrita, a cuneiforme, há cerca de 3.000 a.C.

Nos mitos mais antigos, Lilith ou Belit-iti, era a principal auxiliar da deusa Inana, a maior divindade da Suméria. Dizia-se que era Lilith quem conduzia os homens aos rituais sagrados do *hiero-gamos*, nos templos de Inana*. Além disso, era uma deusa que protegia os bebês, especialmente em seus primeiros dias de vida, além de zelar pelas mulheres durante os trabalhos de parto.

Contava-se que Lilith vivia num salgueiro às margens do rio Eufrates. O salgueiro era uma árvore sagrada na Suméria que, de acordo com os mitos, havia sido plantada pela própria Inana. O animal sagrado de Lilith era a coruja e, quando se ouvia seu pio, sabia-se que ela estava por perto.

Há uma imagem em terracota, de cerca de 2.000 a.C. (hoje no Museu Britânico de Londres) que alguns estudiosos creem ser da Lilith suméria. Ela é representada como uma mulher de longos cabelos, com um belo corpo feminino nu, pés em formato de garras e com um par de asas. Está em pé em cima de dois de leões e ladeada por duas corujas.

Com a conquista da Suméria pelos povos semitas, começou a mudança na identidade mítica de Lilith. Primeiro ela foi associada a Lil, um espírito do vento que podia ocasionar terríveis tempestades. A partir de crescente influência dos hebreus nessa região, os relatos sobre sua face sombria foram aumentando. Como Ardat Lili, foi transformada em um súcubus, ou seja, um demônio alado com forma feminina, que voava à noite e produzia sonhos eróticos nos homens adormecidos para copular com eles e sugar sua energia vital. Posteriormente foi associada também a Lamashtu, uma devoradora de crianças, especialmente as recém-nascidas.

---

* Hieros-gamos ou "casamento sagrado" simboliza a união sexual entre um deus e uma deusa – a integração do feminino e do masculino – em muitas religiões. O hieros-gamos era ritualizado pela relação sexual entre um homem e uma mulher – em muitas culturas especialmente entre o rei e uma alta sacerdotisa da Deusa, representado o par de deuses. Esse ritual real garantia a fertilidade da terra. A relação sexual ritualizada que ocorria nos templos como iniciação ao culto da Deusa era também realizado para homens comuns pelas chamadas "prostitutas sagradas".

Em determinado momento, não conhecido com precisão, ocorreu a maior mudança nos mitos sobre quem era Lilith e qual sua origem. No manuscrito hebreu *O alfabeto de Ben Sirak*, escrito entre os séculos 8 e 10 a.C., ela já é descrita como a primeira esposa de Adão. Mas esse mito do Gênese é contado com mais detalhes no *Zohar, o Livro do Esplendor*, uma obra cabalística do século 13, que é uma meditação sobre o Antigo Testamento**.

Conta o livro que Deus criou o primeiro homem e a primeira mulher a partir do pó da terra: eles eram Adão e Lilith. Mas Adão só aceitava fazer amor com Lilith com ele por cima dela. Ela, que se achava igual a ele – afinal, ambos foram feitos por Deus ao mesmo tempo e da mesma matéria – queria alternar a posição de quem ficava por cima durante a relação sexual. Adão se negou com firmeza a fazer isso: para ele, era ela quem sempre deveria suportar, de forma passiva, o peso dele em cima de seu corpo durante o ato sexual. Depois de inúmeras tentativas de convencer Adão de que ela também tinha esse direito e sem nenhum sucesso, Lilith não suportou mais tal submissão. Amaldiçoou Adão e, usando seus poderes mágicos, voou para o Mar Vermelho, estabelecendo suas margens como sua nova morada.

Adão sentiu-se só e muito triste com sua partida. Deus, querendo vê-lo novamente feliz, enviou três anjos para convencer Lilith a retornar e se render às ordens do marido, mas ela se recusou veementemente e não voltou atrás em sua decisão de abandonar Adão. A partir do momento em que não obedeceu a essa ordem divina, Lilith passou a copular compulsivamente com os animais e com vários demônios, dando à luz inúmeros filhos e filhas diabólicos, numa sequência de selvageria sexual sem medida nem freios.

Dizia-se que era muito arriscado para os homens dormirem, porque Lilith e suas filhas, chamadas Lilims, podiam se apro-

---

** As Escrituras Hebraicas, conhecidas pelos cristãos como Antigo Testamento, com 46 livros, constituem a totalidade da Bíblia hebraica e a primeira parte da Bíblia cristã.

veitar deles, copulando e sugando toda sua vitalidade, como o súcubus associado anteriormente a ela, Ardat Lili. E sua fama de assassina de crianças se expandiu e se difundiu tanto que muitos povos semitas, especialmente os hebreus, criaram inúmeros rituais, preceitos e talismãs para proteger os recém-nascidos de Lilith, costumes que duraram até a Idade Média.

Finalmente, o relato mítico havia transformado Lilith em um pervertido e perigoso demônio feminino, em consequência de sua desobediência a Deus Pai, aos desejos do homem e à afirmação de seu direito à autonomia, à liberdade de escolha e à equidade!

Voltando à história do Gênese, Adão, que se sentia muito solitário depois da partida de Lilith, pediu uma nova companheira a Deus. Usando uma costela de Adão, Deus então criou Eva, uma mulher muito mais dócil e submissa; afinal, formada a partir dele, o homem, e portanto uma não igual!

Mas Lilith não sossegou: disfarçada de serpente, convenceu Eva, que convenceu Adão a comer o fruto proibido da árvore do conhecimento, desobedecendo a Deus e fazendo com que ambos fossem exilados do Jardim do Éden.

No relato cristão a expulsão da humanidade do Paraíso foi culpa de uma mulher, Eva; nesse relato hebraico de duas: Eva e Lilith. E se Eva é a primeira "pecadora", Lilith é a próprio diaba! ***

O que Lilith pode ensinar

A afirmar nosso total direito à equidade

Ao ler sobre as transformações míticas de Lilith, sua interpretação simbólica quase se faz desnecessária de tão óbvia. De deusa suméria ligada à sexualidade sagrada, protetora das mães e de seus bebês, Lilith virou um espírito feminino noturno maligno, depois um

---

*** A história de Lilith como primeira mulher de Adão não consta da Bíblia Canônica. Seu mito pertence à tradição rabínica de transmissão oral.

súcubus e uma assassina de crianças e finalmente, somado a isso, uma mulher desobediente a Deus e ao homem e, como consequência, pervertida, diabólica e a principal responsável pelos sofrimentos da humanidade exilada do Paraíso.

Vemos nessa história, de forma inequívoca, a crescente demonização da figura da mulher ocorrida nas religiões monoteístas masculinas patriarcais. E demonização fortemente agravada para aquelas mulheres que não "conhecem seu lugar e se rebelam, tendo a ousadia de querer se igualar aos homens"!

Essa transformação da imagem mítica de Lilith mostra a resposta dada, até do ponto de vista simbólico, truculenta e violenta às mulheres que lutavam por sua igualdade diante dos homens e que não aceitavam ser cerceadas em seus direitos pelas religiões e cultura patriarcais. Eram demônios, e como demônios deveriam ser tratadas. E a história mostra com clareza o quanto isso foi feito...

E o que Lilith pode nos dizer hoje?

Infelizmente, a cultura patriarcal e machista ainda hoje é muito presente no mundo. E Lilith, com sua postura claramente autoafirmativa como primeira mulher de Adão que não aceita a submissão aos desejos e ordens do homem e nem acredita que deva qualquer tipo de obediência a um Deus Pai Patriarcal, é um símbolo feminino poderoso e libertário.

Uma figura mítica arcaica que representa o sagrado direito de todas nós de sermos donas, dentro do possível numa vida humana, de nosso próprio destino e escolhas é de um valor simbólico muito grande.

Nesse sentido, como muita gente considera atualmente, Lilith é a representação mítica por excelência de uma feminista que luta pela igualdade de direitos de todas... e de todos e todes.

É a voz de Lilith que ouvimos sussurrar em nossos ouvidos e de megafone gritar para o mundo: "Lugar de mulher é onde ela quiser!"

Mari
A Senhora das Múltiplas Manifestações

Tradição basca

Seu mito

Acredita-se que os bascos são o povo mais antigo a habitar o continente europeu, anterior às invasões dos indo-europeus. Parte de sua população mantém, ainda hoje, a língua falada há mais de 3 mil anos: o euskera, idioma que não tem relação com qualquer outro.

Atualmente os bascos ocupam um território que se estende do golfo de Biscaia aos montes Pirineus e se divide em províncias no norte da Espanha, onde vive 90% de sua população, e no sudoeste da França. O que se chama País Basco ou *Euskal Herria,* em euskera, é, na verdade, um território definido sob um prisma linguístico, histórico e cultural.

Apesar da influência implacável da cultura indo-europeia e do império romano nessa parte da Europa, a religião e a base mítica basca, que era de tradição oral, resistiu por muito tempo, provavelmente pelo isolamento da região. No entanto, depois da cristianização, suas antigas crenças sobreviveram somente em lendas, contos populares e no folclore.

Sua mitologia era basicamente ctônica – todos os deuses viviam na superfície ou no interior da Terra, com o céu visto somente como um espaço pelo qual as divindades viajavam.

A antiga religião era centrada na grande deusa Mari, sua deidade suprema, a Soberana da Terra, a própria personificação da natureza. Seu nome significa "rainha" e todos os outros deuses e seres míticos respondiam a ela.

Diziam que Mari habitava uma gruta dentro das montanhas, toda feita de ouro e pedras preciosas. Moravam com ela suas auxiliares, as *Laminak*, ninfas com pés de pássaros que viviam em um rio subterrâneo que existia dentro da gruta. Mari tinha também como ajudantes as *Sorgiñak*, feiticeiras que ajudavam especialmente as mulheres em trabalho de parto, e os *Basajaunes*, guardiões dos bosques.

Nas noites em que não permanecia em sua caverna, Mari dormia no topo das montanhas. Para saber o lugar exato onde ela estava dormindo bastava olhar para o alto: o pico onde adormecera ficava encoberto por pesadas nuvens cinzentas.

Mari regia os ciclos da natureza e da vida na Terra. Comandava todos os fenômenos naturais e podia tanto trazer a fertilidade e a abundância como a escassez. Era também a tecelã do destino de tudo e de todos. Tecia os destinos usando fios de ouro.

Era Mari quem comandava a justiça. Como condenava a mentira, o roubo, a vaidade e o egoísmo, a falta de ajuda mútua e de visão de comunidade, castigava duramente quem apresentava esses comportamentos. Recebia oferendas de carneiros ou moedas para a obtenção de graças ou para proteção contra as tempestades.

Contam que quem queria ir à sua caverna para solicitar ajuda deveria cumprir rigorosamente três preceitos: tratá-la sempre por Senhora, sair da gruta da mesma forma que entrou, isto é, andar recuando e não lhe dando as costas, e não se sentar a não ser que ela convidasse a fazê-lo.

Mari era casada com Maju, uma serpente de fogo. Maju também era chamado de Sugaar, sendo nessa manifestação a personificação dos trovões e relâmpagos. Ele visitava Mari todas as sextas-feiras para ajudá-la a pentear seus longos cabelos, mas em todas as visitas eles acabavam travando uma feroz batalha, o que normalmente antecipava fortes tempestades.

O casal teve dois filhos. O primeiro, Atarrabi, era compassivo e estava relacionado à estrela polar. Quando ela brilhava no céu, era prenúncio de boa sorte para o povo. O outro filho, Mikelats, também era relacionado a uma estrela, mas trazia desastres naturais, como deslizamento de terra ou desmoronamento de rochas. Se a estrela de Mikelats brilhasse no céu era sinal de mau agouro.

Mari era uma deusa multifacetada: podia se apresentar das mais diferentes formas. Podia aparecer como uma bela mulher, imponente, ricamente vestida e ornada com belas joias ou como uma mulher forte e musculosa conduzindo uma carruagem pelos céus, puxada por quatro fogosos cavalos brancos. Também era vista como uma mulher em chamas cruzando velozmente o céu envolta em labaredas, como uma mulher que domava e montava um carneiro, como uma mulher tecendo em seu tear tramas com fios de ouro, como uma mulher enorme com a cabeça rodeada pela Lua, como uma frondosa árvore com rosto de mulher, como um corvo ou abutre em voo amplo e alto, como uma súbita rajada de vento de chuva, como uma imensa nuvem branca, como um belo arco-íris ou até como uma cabra ou um bode.

Múltiplas manifestações, diversas facetas, mas sempre Mari, a Grande Deusa, a *Amalurra* ou Mãe Terra, a Senhora do Grande Poder.

O que Mari pode ensinar

A aceitar-se múltipla

Assim como Mari, podemos nos admitir multifacetadas. Podemos aceitar que temos diversas facetas e que isso não nos torna incoerentes, apenas humanas. Hora sou assim, hora sou assado, mas sempre eu mesma. Como diz a poeta – e poetas sabem das coisas – "mulher é desdobrável"*.

Isso não quer dizer, e a Deusa que nos livre disso, que podemos ser multitarefas: isso é coisa do patriarcado, que nos quer imputar inúmeros deveres como se fosse o "natural" para as mulheres. Não estamos falando de múltiplos afazeres e sim das muitas facetas em que pode se desdobrar a nossa individualidade.*

Então, nem pensar em mulheres que seguram "inúmeros pratos rodando ao mesmo tempo e tentando fazer com que nenhum deles caia" – e normalmente ligados a interesses dos outros e não aos delas próprias, por sinal – mesmo que isso as deixe exaustas. Definitivamente não é isso que está sendo dito, e sim de viver as diferenças que existem dentro de nós.

Podemos ser uma tempestade terrível, cheia de raios, trovões, e até chuva de granizo, assim como podemos ser um dia de sol ameno, de céu muito azul, sem nuvens, com uma suave brisa primaveril. Podemos ser como uma tigresa bravia lutando por seu território ou como uma suave gatinha buscando colo. Podemos ser uma paineira antiga, forte, com raízes imensas fincadas na terra ou um junco leve, nos submetendo e balançando ao vento sem quebrar. Podemos ser um oceano encapelado, furioso, violento, assim como um pequeno riacho, com límpidas águas correndo suavemente entre as pedras.

Hora podemos nos sentir frágeis e vulneráveis, como uma pequena criança solitária, hora fortes e invencíveis como a Mulher Maravilha. Hora confusas, cheias de dúvidas e sem rumo, hora cheias de lucidez e certezas. Hora ter a sensação de que nada sabemos, de que nossa ignorância é imensa e somos totalmente incompetentes e inseguras, hora achar que descobrimos a Verdade, que agora compreendemos a vida e que ninguém nos segura.

Como humanas, nada em nós é permanente! Ao mesmo tempo, se amadurecemos e nos tornamos psicologicamente adultas, construímos um centro interno que aglutina tudo aquilo que somos, o que vivemos como experiência interna e o que expressamos na vida.

---

*Trecho do poema "Com licença poética", de Adélia Prado.

Existe uma coerência existencial que forma a mistura que liga tudo em nós, apesar de se manifestar de diferentes formas e, muitas vezes, até de maneiras aparentemente paradoxais.

Somos mutáveis e constantes ao mesmo tempo. Se aquilo que experimentamos é sempre verdadeiro, no sentido interno e íntimo, tudo somos nós, tudo nos representa, tudo nos compõe.

É como a deusa, sempre diferente, mas sempre a mesma Mari.

Mati-Syra-Zemlya e Mokosh
A Úmida Mãe Terra

Tradição eslava pré-cristã

Seu mito

Os eslavos habitam o Centro e o Leste europeus desde 800 a.C. e, nessa época, tinham em comum a língua proto-eslava. Sua origem é controversa; não há uma teoria aceita sobre isso de forma inequívoca. Hoje esses povos se dividem geograficamente em eslavos ocidentais (tchecos, eslovacos, morávios e poloneses), eslavos orientais (bielorrussos, russos e ucranianos) e eslavos meridionais (búlgaros, bósnios, croatas, sérvios, eslovenos e macedônios).

Originalmente eram pagãos e não tinham linguagem escrita. Com a forte e ampla cristianização que viveram, entre os séculos 9 e 10 d.C., grande parte da cultura original se perdeu. Seus mitos foram parcialmente conservados nos contos populares, no folclore e em alguns escritos de antigos historiadores cristãos. Mas também foram preservados em costumes, crenças e rituais que muitos camponeses desses países, mesmo sendo cristãos, mantiveram até o século 19.

Mati-Syra-Zemlya (Úmida Mãe Terra) era uma deusa eslava pré-cristã muito arcaica que não possuía representação antropomórfica. Era a própria personificação da Mãe Terra Úmida/Fértil ou da Mãe Terra Úbere/Seio, ou seja, a origem e a nutridora de tudo e todos – a Mãe Terra vista como uma entidade viva, de quem se devia respeitar inclusive os sentimentos, para poder contar com sua boa vontade em propiciar colheitas fartas e, como consequência, garantir a sobrevivência das pessoas e de todos os outros seres vivos.

Os camponeses da antiga região da Volínia e da Bielo-Rússia consideravam grande pecado trabalhar na terra do início do ano até 25 de março, pois durante o inverno Mati-Syra-Zemlya estava "prenhe" e não se devia prejudicar sua gravidez com atos invasivos como arar. Na Rússia, não se lavrava a terra em determinados dias santos, num sincretismo de costumes pagãos com o cristianismo. E quem tivesse batido os pés no chão nesses dias, mesmo sem querer, teria que pedir perdão à Mãe Terra por seu gesto desrespeitoso.

Em algumas regiões faziam-se previsões sobre as colheitas abrindo um buraco no solo e "escutando" a terra: se o som ouvido fosse o de um trenó carregado deslizando sobre a neve, significava boa colheita. Se se escutasse o som de um trenó vazio, a colheita seria escassa. E quando acontecia algum tipo de epidemia, as mulheres (o ritual era vedado aos homens) cavavam um grande sulco ao redor da aldeia, para que as forças regeneradoras das entranhas da Terra desafiassem e vencessem a doença e a morte.

Até o século 19 em certos locais o ritual de casamento exigia que cada um dos noivos engolisse um torrão de terra para selar a união. Em outros lugares, os juramentos, para serem considerados verdadeiros, exigiam que as pessoas que os fizessem colocassem sobre a cabeça um punhado de terra. E para alguns desses povos eslavos era costume, antes de viajar para qualquer lugar, beijar o solo natal se despedindo e, ao chegar ao destino, beijar o solo visitado pedindo licença para pisá-lo.

Com o passar do tempo, Mati-Syra-Zemlya foi sendo associada e depois assimilada a Mokosh, uma deusa eslava posterior. Mokosh, cujo nome é derivado de *mokosi* ou *mokryi*, que significa "molhado, úmido" era a deusa da fertilidade, da água e da terra. Era considerada a grande protetora das mulheres e quem cuidava delas na gravidez e no momento do parto. Além de sua protetora, Mokosh era vista como patrona de algumas das principais ocupações femininas da época: a tosquia, a fiação e a tecelagem. Era também considerada a protetora das ovelhas, animais essenciais para a sobrevivência desses povos.

Mokosh era também simbolizada por pedras em formatos parecidos a seios, e acreditava-se que a chuva era o leite que saía deles. Em épocas de seca, as pessoas iam em peregrinação às pedras a ela consagradas para pedir que a chuva os abençoasse trazendo prosperidade.

Mokosh era, além disso, relacionada à magia, e as mulheres russas que praticavam bruxaria eram chamadas de *mokoses*.

Imagens de Mokosh sobrevivem até hoje na arte russa e em bordados, onde costuma ser representada como uma mulher com as mãos erguidas para o céu ladeada por ovelhas, cavalos e pássaros.

Com o avanço da cristianização desses povos, facetas de Mati-Syra-Zemlya e de Mokosh foram sendo incorporadas à figura de Nossa Senhora, especialmente nas Madonas Negras, com suas colorações escuras como a terra.

É interessante lembrar que o polonês Karol Wojtyła, o papa João Paulo II, era extremamente devoto da Madona Negra polonesa, a Nossa Senhora de Czestochowa. Foi um papa de longo pontificado (mais de 26 anos) e de muitas viagens: visitou 129 países. Em cada país em que chegava, ao descer do avião, seu primeiro gesto era se ajoelhar e beijar o solo, num movimento simbólico de honrar e abençoar aquele pedaço da Terra.

É muito difícil excluir totalmente a Deusa e a sacralidade da Mãe Terra do coração humano!

O que Mati-Syra-Zemlya e Mokosh podem ensinar
O corpo como morada

Assim como a Terra é nossa morada, nosso corpo também o é: a diferença é que Ela é o lar de todos os seres viventes e ele é só o nosso. Mas os dois são territórios sagrados e assim devem ser tratados.

No entanto, a cultura atual predominante trabalha ferozmente contra isso, tanto em relação a nosso planeta, quanto em relação aos corpos, especialmente aos corpos das mulheres.

Massivamente, a cultura por todos os seus meios de propagação dissemina há anos, às vezes de forma sutil, outras de formas bastante evidentes, que o principal poder de uma mulher é sua beleza física e sua juventude. E beleza física dentro de padrões rigidamente estabelecidos e ligados a modelos ditados pela moda do momento. Se não corresponder a esses padrões de beleza e juventude, a mulher perde valor, independentemente de quaisquer outras qualidade que possa ter. Aliás, quanto mais distante dos padrões menos ela vale.

A consequência nefasta é que se a mulher cair nessa armadilha machista vai tratar seu corpo como um objeto imperfeito que precisa ser "consertado". E, ainda pior, seu corpo será visto como seu inimigo, como aquilo que está errado nela, o que é defeituoso e que a torna menor, menos valiosa e, em consequência, mais infeliz. E é muito difícil não ser afetada por essa visão, pois ela é tão disseminada que acaba sendo vista como verdade e não como a crença opressiva e tóxica que realmente é.

Daí as torturas autoimpingidas por tantas mulheres: excesso de cirurgias plásticas e procedimentos estéticos, práticas físicas extenuantes, dietas absurdas, quando não distúrbios alimentares e até automutilação.

Parece até que essa exaltação da beleza feminina padronizada e paralisada no tempo é uma resposta da cultura patriarcal à libertação das mulheres resultantes dos movimentos feministas. Dessa forma, estabelece-se uma nova prisão que nos tira grande parte do poder conquistado. Nossa autoestima e nosso senso de valor ficam à mercê do que os "outros" acham de nossa aparência física. Essa crença é uma das grandes responsáveis pela manutenção do nosso machismo interiorizado, muitas vezes inconsciente.

Vamos usar a energia e o poder de Mati-Syra-Zemlya para nos libertar desses grilhões simbólicos. Vamos ver o nosso corpo como ele é de verdade: nossa morada nesta vida, o que nos pode permitir sentir e dar prazer, alegria e afeto.

E vamos nos apoderar da definição da nossa beleza, a humana, não a plastificada. A beleza do nosso corpo, não como imagem para julgamento dos outros, mas como apresentação real de um ser vivo e pulsante. Beleza que está em nosso gingado neste mundo, em nosso sorriso de apreciação às coisas boas, em nossas lágrimas emocionadas, na expressão de tolerância e sabedoria que podem vir com a idade, no olhar amoroso, no abraço acolhedor, no ombro amigo, na gargalhada que contagia, na dança com que celebramos a vida.

Como disse Clarissa Pinkola Estés : "No corpo, não existe nada que "devesse ser" de algum jeito. A questão não está no tamanho, no formato ou na idade. A questão está em saber se esse corpo sente, se ele tem um vínculo adequado com o prazer, com o coração, com a alma...".

Que cada uma de nós escute o próprio corpo, trate-o com o cuidado, o respeito e o carinho que ele merece, celebre e faça festa com e para ele, e honre-o como sua sagrada morada, como os eslavos faziam com a Mãe Terra, Mati-Syra-Zemlya.

Moiras
As Tecelãs dos Ciclos

Tradição grega

Seu mito

Nix, a deusa grega da Noite, filha de Caos, o vazio primordial anterior à Criação, é a mãe das Moiras. Nix faz parte da primeira geração de deuses gregos, anterior à dos Titãs e à dos deuses olímpicos. Ela percorre o céu noturno coberta por um manto escuro, em uma carruagem puxada por quatro cavalos negros.

Nix simboliza o tempo das gestações e das germinações que precedem o surgimento da Luz, do dia e das manifestações de vida. É, portanto, uma deusa repleta de possibilidades. Gerou sozinha por partenogênese – sem a participação da contraparte masculina – uma série de filhos. Entre eles, as três Moiras, as deusas tecelãs dos destinos individuais.

Como em muitas tradições, os gregos usavam a fiação e a tecelagem como metáforas para o tempo de vida de uma pessoa. Era o tamanho do fio da vida de cada um que marcava a sua permanência na Terra. Cada uma das Moiras, tinha uma função nessa "tecelagem".

Cloto era a primeira, a que fiava os fios da vida das pessoas. Como fiandeira, segurava o fuso e ia puxando com destreza cada um dos fios. Muitas vezes era identificada com a lua crescente, e representada como uma jovem mulher. **Láquesis**, a segunda, enrolava cada fio enquanto media sua extensão, determinando o tempo da vida da cada um. Era vista como a lua cheia e representada por uma mulher madura. E quem cortava o fio, encerrando a vida da pessoa, era **Átropos**, a que não voltava atrás, chamada de "a inflexível". Era identificada com a lua minguante, e representada como uma mulher muito idosa.

Assim como sua mãe Nix, as Moiras não tinham qualidades personificadas como têm os outros deuses gregos posteriores, que possuem características marcantes de personalidade, muitas vezes bem próximas dos humanos. Nem há também histórias míticas de que elas sejam personagens. As Moiras eram consideradas fundamentalmente uma força da natureza, nem boas, nem más; respondiam somente à lei natural do desenvolvimento de tudo e todos, dentro da visão de um cosmo ordenado e interligado, como tinham os antigos gregos.

Para a religião grega da época, o maior "pecado" que podia ser cometido era o da *Hybris*. *Hybris* se traduz como tudo que passa da medida, o descomedimento, e se refere basicamente a presunção, arrogância ou insolência de um ser humano diante dos deuses, querendo ser igual a eles de alguma forma. Esse "pecado mortal" era sempre punido de forma exemplar pela ira divina.

Nem os deuses podiam desafiar as decisões das Moiras. Elas eram soberanas, e a *hybris* não era tolerada. Nem mesmo o deus grego mais poderoso, Zeus, tinha poder sobre elas. O que decretavam, tinha que ser cumprido. Eram as Senhoras dos destinos.

O que as Moiras podem ensinar
A aceitar os ciclos e fluir com a vida

> *As Moiras representam o ciclo de uma vida – o nascimento, ou seja, o tecer o fio como fazia Cloto; a existência, o enrolar o fio, obra*

de Láquesis; e a morte, o corte do fio como cabia a Átropos. Mas podemos também ver a ação das Moiras não só como metáfora para o ciclo de uma vida, mas para tudo que fazemos e vivemos: relacionamentos, trabalho, projetos e até nossa identidade e valores. Tudo, absolutamente TUDO, tem começo, meio e fim: tudo nessa vida é cíclico, tudo obedece às Deusas Tecelãs. E os ciclos não são necessariamente bons ou ruins: assim como os gregos viam as Moiras, são apenas a ordem natural de tudo que é vivo.

Mas como é difícil aceitar isso!

Nossa cultura patriarcal, controladora, voluntariosa, beirando a onipotência, nos faz acreditar que, se quisermos, podemos dominar e vencer os ciclos, podemos prolongar a duração das coisas e da vida, podemos ser donos do tempo... Essas crenças fantasiosas são uma das principais fontes de frustração e sensação de fracasso que vemos presentes em tantas pessoas.

E nós, mulheres, que somos cíclicas inclusive em nosso próprio corpo, ao entrar no mundo do trabalho, do mercado, da economia, da política, construído sob a ótica masculina, fomos nos adaptando do jeito que deu a essa visão muito mais linear e antinatural, e assumindo suas premissas. E com isso perdemos muito em aceitação, serenidade e sabedoria.

Sabedoria que está em se colocar de acordo com os ciclos, fluindo e não brigando com eles, porque essa é uma luta condenada, inexoravelmente, ao fracasso. Brigar com a ciclicidade natural da vida, além de totalmente inócuo, é um tremendo desperdício de energia e tempo. Estamos cheias de **Hybris** e sendo castigadas pelas Moiras por isso.

Mas, por que tanta dificuldade com os ciclos?

Nas coisas que queremos, naquelas que gostamos, nas que lutamos por criar e em que tivemos sucesso, não suportamos o **FIM**: tememos Átropos. Queremos eternidade naquilo que é finito porque vivo; é uma briga inútil. Muitas vezes as coisas acabam fora da gente, às vezes dentro da gente e às vezes as duas coisas ao mesmo tempo e mesmo assim não queremos enxergar, muito menos admitir que estão findas. Aceitar que algo acabou, quase sempre, não é tarefa fácil!

Nem tudo precisa acabar completamente, como um relacionamento, por exemplo, mas se terminou seu tempo, a antiga forma de se relacionar precisa morrer, para que nasça uma nova forma. E se não morre o que precisa morrer, vem a rigidez, o novo não nasce e a vida plena de vida se vai...

Muitas vezes o que não suportamos é o **MEIO**. O meio dá trabalho, implica em um cotidiano que pode parecer tedioso, sem a excitação do começo, nem o drama do fim. O meio é a manutenção, é o cuidar amoroso (e muitas vezes trabalhoso) para que as coisas se sustentem e durem o tempo que devam durar.

Passar pelo tempo de Láquesis muitas vezes soa penoso nessa cultura que só valoriza o ponto de chegada e não o caminho e o caminhar. E que também estimula consumir tudo velozmente e com voracidade, sem o tempo do usufruir com lentidão e do cuidar paciente e atento para que aquilo que foi conquistado seja mantido pelo tempo que for possível.

Outra vezes o que mais tememos é o **COMEÇO**: não queremos a visita de Cloto, não queremos fiar o novo. É preciso bastante energia para criar algo que ainda não existe e pode dar preguiça fazer o esforço necessário para isso. O começo implica também no desconhecimento do que "aquilo" vai ser ou se tornar, e morremos de medo de não ter controle sobre isso ou de fracassarmos. O novo e o surpreendente muitas vezes nos apavoram, o que, em certo sentido, é uma loucura, pois aí reside boa parte da aventura de se estar vivo. Muitas vezes hesitamos em sair do comodismo vazio e paralisante para ousar caminhar em "terras desconhecidas".

Temos que reconhecer que viver começos, meios e fins pode ser difícil de ser encarado, especialmente quando se está passando de uma fase para a outra. Mas a Vida é processo, é mudança, é fluir...

Que a gente se livre da Hybris de querer que tudo aconteça de forma definitiva e imutável e que aprendamos a honrar e celebrar as Moiras e os ciclos, pois eles são matéria-prima do pleno viver. Tudo tem começo, meio e fim, para que haja sempre um recomeço, um novo ciclo se inicie e a Vida continuamente se renove!

A Mulher que Muda
e o Caminho das Bençãos

Tradição dos povos nativos norte-americanos/povo navajo

Seu mito

O povo navajo, originalmente nômade, se estabeleceu há séculos e vive ainda hoje em um planalto que se estende por parte dos estados do Arizona, Utah e Novo México, nos Estados Unidos.

A Mulher que Muda, ou *Istsá Natlehi*, é a mais reverenciada figura sagrada desse povo; é única deidade do seu panteão que só apresenta o lado bom, luminoso. É chamada de Senhora da Benevolência, pois é quem traz a abundância e as lições necessárias para a vida em harmonia na Terra. É também conhecida como a "A que se Renova", "A Mulher Mutante" e "A Mulher Turquesa". É identificada com o processo da vida e da natureza, sendo vista como jovem na primavera, como mulher madura no verão e outono, e como velha no inverno, para voltar a ser jovem novamente na outra primavera: é a que nunca morre, a que sempre renasce, a eternamente mutável, a cíclica.

Ela doou a seu povo o Caminho das Bençãos, o mais popular cerimonial navajo de cura. Os navajos têm um foco muito grande na cura simbólica/psicológica e social/comunitária, e sua religião busca, com seus inúmeros e complexos rituais, chamados de "Caminhos", a harmonia do homem com a natureza. Eles acreditam que qualquer doença, acidente ou má sorte são frutos desse desequilíbrio.

Os "Caminhos" são realizados por xamãs e curadores e compostos normalmente da contação de um mito que carrega simbolicamente o significado do ritual, de cânticos, preces, banhos cerimoniais, pinturas simbólicas na areia e ingestão de poções e chás feitos com ervas.

O Caminho das Bençãos, tendo como base o mito da Mulher que Muda, é utilizado em numerosas situações: para pedidos de boa sorte e saúde, proteção do rebanho, proteção das sementes, felicidade no casamento, proteção da casa, proteção para a gestação e os partos, proteção das crianças e proteção contra acidentes. Além dessas bênçãos, esse rito medicinal fornece imunidade contra várias entidades malignas.

Conta o mito que a Mulher que Muda apareceu no mundo de forma sobrenatural. Os antigos diziam que ela era filha do Rapaz da Vida Longa e da Moça da Felicidade, deidades que moravam no interior da Terra. A deusa ancestral *Atse Etsa*, guiada por uma nuvem escura de chuva, a descobriu debaixo da montanha ainda bebê e decidiu educá-la para ser a salvadora da Terra. Alimentada de pólen, a deusa atingiu a fase adulta, tendo sua *kinaalda*, a menarca, com apenas dezoito dias. Por isso, a Mulher que Muda é quem preside o ritual da puberdade das meninas navajo quando da sua primeira menstruação.

Tendo se tornada adulta tão prematuramente logo tornou-se amante do Sol, o deus mais poderoso para os navajos. Faziam amor todos os dias ao anoitecer e tiveram dois filhos gêmeos e guerreiros: *Nayenezgán*i, o Matador de Monstros, e *Tobadsistsíni*, o Filho da Água. Depois que a Mulher que Muda os pariu, precoces como a mãe, tornaram-se adultos em apenas oito dias. Então, com sua ajuda, partiram em busca do Pai Sol para pedirem seus poderes e com eles conseguirem guerrear e matar os monstros que assombravam a Terra.

Depois de uma longa jornada, os irmãos finalmente encontraram seu pai. O Sol relutou bastante, mas finalmente permitiu que os filhos levassem seus poderes para usarem em sua luta. De posse deles, os gêmeos voltaram à Terra. Aqui chegando, depois de terríveis batalhas, finalmente venceram os monstros.

Entretanto, a guerra que os irmãos travaram foi muito sangrenta e diminuiu demais a quantidade de habitantes da Terra. Foi então que a Mulher que Muda raspou a pele de seus seios e com ela criou o casal ancestral do povo navajo. Eles se reproduziram rapidamente e deram origem aos grandes clãs navajos.

Apenas quatro monstros sobreviveram à guerra dos gêmeos contra o mal: o Inverno, a Miséria, a Idade e a Fome. A deusa permitiu que persistissem para que seu povo pudesse ter mais apreço às suas dádivas.

Depois de dançarem com a mãe, comemorando a vitória, seus filhos construíram para ela, no Céu, uma linda casa, toda cravejada de turquesas. Sentindo que sua missão estava completa, a Mulher que Muda retirou-se para seu castelo celeste e de lá abençoou seu povo, presenteando-os com as estações do ano, as plantas, os animais e com o Caminho das Bênçãos. Em sua nova morada o Sol pode visitá-la todas as noites após cumprir seu trajeto diurno.

A Mulher que Muda, seu marido, o Sol, e seus dois filhos, o Matador de Monstros e o Filho da Água, formam a "Sagrada Família" navajo.

Os apaches, outro povo originalmente nômade que se estabeleceu próximo aos navajos, tem um panteão de deuses bastante assemelhado, provavelmente em função de seu contato mútuo. A principal deusa apache, a Mulher Branca Pintada, tem grande correspondência em sua história mítica e em muitos de suas qualidades simbólicas com a Mulher que Muda navajo.

O que a Mulher que Muda pode ensinar
Aprender a abençoar

A Mulher que Muda e o lindo símbolo que ela representa para o povo navajo vem nos lembrar da importância do dar/desejar bênçãos a nossos semelhantes e à vida.

Falar de abençoar pode até soar estranho; afinal dar bênçãos é considerado algo antigo, menor, inócuo, até simplório por nossa cultura indiferente e descrente. Mas o que é de verdade abençoar? Quem tem o poder de fazer isso? Qual o resultado disso, se é que existe?

Dar ou desejar bênçãos nada mais é do que pedir com toda nossa verdade interna que alguém receba aquilo de que está precisando, que tenha boa sorte, que saia de uma situação difícil, que melhore, que receba graças em sua vida. E desejar por desejar, de forma sincera e sem julgamento, mesmo que a bênção seja dada de forma silenciosa, sem ser dita. É enviar energia positiva mesmo que o outro não saiba que você está fazendo isso. É rogar aos céus, às deusas e aos deuses, que estendam sobre aquela pessoa uma rede de proteção sagrada. E, na verdade, nem é preciso ser religioso ou espiritualizado para isso; mesmo sem qualquer crença no transcendente, desejar de coração bem ao próximo é sempre uma possibilidade humana.

O ato de oferecer bênçãos também pode ser traduzido de forma concreta por pequenos e singelos atos de gentileza e solidariedade, como dar um telefonema perguntando a uma amiga que está passando por momentos difíceis se é possível ajudar em algo, escutar com atenção e delicadeza alguém que precisa muito falar, levar comida para um casal que acabou de ter um bebê e não tem tempo para nada, oferecer-se para ficar com uma criança pequena para uma mãe cansada poder sair e espairecer um pouco, fazer voluntariamente companhia para alguém que está doente, sentar-se em silêncio ao lado de uma pessoa que está sofrendo, respeitando sua dor, mas mostrando ao mesmo tempo estar a seu lado...

Pode também ser demonstrado em coisas em ainda mais simples, como dar passagem para alguém no trânsito, sorrir para alguém des-

conhecido que nos parece triste, dar a mão para alguém com dificuldade para subir uma escada, oferecer ajuda para carregar as compras de uma vizinha...

Esses são só alguns exemplos; existem milhares de outras formas, mas são pequenos gestos solidários que podem inclusive restaurar a confiança de alguém nos outros e na vida, e estão ao alcance de qualquer um realizar.

E desejar bênçãos e oferecer quaisquer gestos de gentileza às pessoas não para parecer generoso, não para agradar o outro, não para se sentir bom, mas por sentir-se abençoado por fazer isso. É como se sentíssemos ao realizar algo assim que, de alguma forma, estamos ajudando a reencantar esse mundo tão machucado. Bençãos são balsámos, são remédios milagrosos para se conseguir tal intento. A bênção é uma pequena cápsula de amorosidade que fornece alento e ajuda a acreditar na bondade do ser humano.

Quando aprendemos a abençoar, já somos alguém diferente e já vivemos num mundo muito melhor, mais humano e, ao mesmo tempo, mais sagrado.

Como disse lindamente o avô da médica e escritora Rachel Naomi Remen, quando ela era uma menina: "Precisamos nos lembrar de abençoar a vida ao nosso redor e dentro de nós, Neshumele. Quando abençoamos os outros, libertamos a bondade que está dentro deles e dentro de nós mesmos. Quando abençoamos a vida, restauramos o mundo".

Que a Mulher que Muda possa nos ensinar a trilhar esse maravilhoso Caminho!

Nut
O Útero Celeste

Tradição egípcia

Seu mito

Nut é a deusa egípcia do céu noturno, a deusa do firmamento cheio de estrelas, a que abarca em seu regaço toda a vida da Terra. É de seu Útero Celeste que toda vida nasce e renasce. É também a mãe dos mortos, aquela que cuida de suas almas: acreditava-se que ela estendia a mão aos que tinham morrido, consolando-os e colocando-os como estrelas em seu imenso corpo celeste, à espera da reencarnação.

É uma das mais antigas deusas dessa tradição, com origem na mitologia da cidade de Heliópolis, uma das principais do Egito Antigo, localizada a cerca de 10 quilômetros da atual cidade do Cairo. Segundo a religião egípcia, foi em Heliópolis que teve início a Criação do Mundo.

Nut é filha de Tefnut, a deusa do ar úmido, e de Chu, o deus do ar seco, ambos filhos do Grande Criador, o deus-Sol Rá. Diferentemente de muitas tradições, nas quais normalmente há uma Mãe Terra e um Pai Céu, como por exemplo para os gregos Gaia e Urano, na mitologia egípcia há uma mãe

Céu/Noite, Nut, e um pai Terra, Geb. Juntos, Nut e Geb geraram os quadrigêmeos Osíris, Set, Ísis e Néftis.

Nut e seu esposo Geb, seus pais Tefnut e Chu, seu avô, Rá, o deus-Sol, e seus filhos Osíris, Set, Ísis e Néftis formavam a enéade mais importante da antiga religião egípcia. Enéade, na mitologia desse povo, era um agrupamento de nove divindades, geralmente ligadas entre si por laços familiares.

Nut era representada como uma imensa mulher nua, de corpo muito alongado e pele escura. Seu enorme corpo era todo coberto de estrelas e arqueava-se sobre a Terra, com a ponta dos pés tocando o horizonte oriental e a ponta das mãos, o horizonte ocidental. Seus pés e mãos eram os pilares que sustentavam o Céu sobre a Terra.

Parte do hieróglifo de seu nome é um pote com água, que simbolizava seu grande e abundante ventre: o Útero Celeste, que contém as águas da vida.

Um dos mitos conta que todas as noites Rá desaparecia no horizonte, porque havia entrado com sua barca* dentro do corpo de Nut através de sua boca. O deus-Sol então percorria, navegando, o corpo de Nut durante a noite, descansando parte do tempo em seu ventre, chamado de gruta secreta. E, no início de cada manhã, Nut dava à luz a Rá a partir de suas coxas. Dessa forma, ele diariamente renascia como o radiante disco solar. Nesse relato, a manhã simbolizava a renovação de toda a Criação, além de ser também uma analogia com a ressureição dos mortos, crença fundamental para a antiga religião egípcia.

Em outro mito, Nut é representada como a Grande Vaca Celeste de cujas tetas nascia a Via Láctea e que carregava o deus-Sol Rá montado em suas costas, quando ele desaparecia da Terra no final do dia. Durante a noite, o Sol viajava pelo firmamento cavalgando Nut como Vaca Celeste, para renascer pela manhã, em outro relato simbólico do ciclo morte-renascimento.

---

* Segundo a mitologia, Rá viajava pelos mundos em barcos sagrados chamados "Barcas Solares".

No Egito Antigo a religião era parte integrante da vida política e social. Durante todo o ano ocorriam numerosos festivais religiosos que serviam para que as pessoas tivessem de forma mais íntima o contato com os deuses, consultassem seus oráculos, dessem graças pelos favores recebidos e pedissem novos favores divinos. Nut era festejada especialmente no chamado "Festival das Luzes". Em seus inúmeros templos, apenas mulheres, suas sacerdotisas, serviam e cuidavam dos altares e rituais.

Mesmo com a diminuição do poder divino feminino nas dinastias faraônicas posteriores, Nut continuou a ser reverenciada, principalmente devido à sua importância nos ritos funerários e em suas representações nas tampas dos sarcófagos, tanto dos faraós e de seus familiares quanto de outros egípcios importantes como sacerdotes, líderes militares e escribas. As representações de Nut nas urnas mortuárias asseguravam a proteção após a morte e a certeza do renascimento: o sarcófago se tornava o útero que continha aquele que deveria ser renascido sob a proteção da deusa.

O que Nut pode ensinar
A acolher os tempos de brumas

A história de Nut nos conta que existem tempos que pedem recolhimento, silêncio, espera, quietude, não ação. Tempos em que temos que entrar nesse útero noturno, porque algo precisa ser gerado ou restaurado dentro da gente. São tempos de não saber, nos quais vivemos em brumas: estamos no ventre de Nut.

Tempos em que nossa energia psíquica se volta para dentro, para o nosso mundo interno e que nos falta, consequentemente, energia para lidar com as demandas do mundo externo. Claro que não podemos abandonar tudo e ir para um mosteiro, mas precisamos, dentro do nosso possível, respeitar esses tempos: são tempos de transformação, de muita mudança e que normalmente transcorrem com lentidão.

E isso é sempre difícil, pois remamos contra a maré desses tempos velozes, agitados, nervosos, de soluções prontas. Queremos que tudo se resolva de maneira rápida e fácil, especialmente se envolve nosso mundo interno, nossos sentimentos e emoções. Se isso não acontece, concluímos que não vale a pena viver essas sensações, que devem ser deixadas para lá, descartadas. Só que nossas questões não desaparecem conforme nossa vontade, só são reprimidas e voltam como doenças físicas ou da alma com muita frequência.

Além de soluções rápidas, tipo fast-food, achamos que sempre devemos saber com clareza porque sentimos qualquer coisa e, acima de tudo, ter certeza do que queremos e para onde devemos ir. Não saber algo sobre nós mesmos é inadmissível e para gente racional isso nunca acontece... óbvio!

Quanto bobagem, quanta ignorância sobre nós e a vida. Afinal, como já disse Freud "não somos donos de nossa própria casa": além do consciente, existe o enorme inconsciente. Ou, como diriam as Moiras, quanta Hybris!

Na nossa crença cega de que tudo devemos planejar, controlar, ter metas e clareza total, deixamos escapar experiências vitais como são esses momentos de vazio e de não saber. Muitas vezes sabemos que estamos mudando e que temos que mudar, sabemos que algo importante e forte está acontecendo dentro de nós, mas não sabemos para onde vamos, muito menos onde iremos chegar: é como se andássemos às cegas. Parece que não temos mais mapas e o GPS recusa-se a funcionar; as referências se foram! O velho já morreu e o novo ainda não nasceu.

Estamos vivendo a fase da crisálida, como disse a junguiana Marion Woodman, na qual não somos mais lagartas, mas também ainda não somos borboletas. E, muitas vezes, como crisálidas temos que ficar quietas, meio imóveis, esperando que o processo de transformação ocorra.

A ideia de que o futuro está sempre visível do lugar onde estamos não é realista. Algumas vezes, precisamos caminhar por um tempo "no escuro" até que possamos vislumbrar um novo horizonte.

Nut vem nos dizer da importância de suportarmos esses tempos internos e cheios de incertezas. É muitas vezes nessas fases no-

turnas que nossa Luz, nosso Sol está sendo regenerado. E muitas vezes é nesse útero escuro, nesses momentos vazios de qualquer clareza, que o novo e o criativo estão sendo gestados. É do útero de Nut que nós, renascidos, podemos voltar a viver uma vida realmente plena de Vida!

Obá
A Grande Guerreira

Tradição afro-brasileira/iorubá

Seu mito

Obá é uma Orixá guerreira poderosíssima. Madura, tem consciência de seu poder, e reivindica e luta incessantemente por seus direitos e pelos direitos das mulheres e das crianças. Protege especialmente as mulheres vítimas de seus maridos, as viúvas e os órfãos pobres e desamparados.

É implacável, destemida e tem vontade férrea. Além disso, é prática, objetiva, leal e corretíssima. Com um temperamento apaixonado e irascível, é muito combativa, mas sempre justa. É a solucionadora das causas complicadas e até impossíveis, mas só ajuda os injustiçados. É considerada também uma grande feiticeira.

Obá é ligada ao elemento água e seu domínio são as águas turbulentas, especialmente as pororocas, mas também as águas revoltas dos rios e as grandes quedas d'águas. Tem ainda ligação com os outros três elementos. Com o elemento terra, pois vive com frequência nas matas cerradas, caçando com seu grande amigo Oxóssi, o Orixá da caça; com o elemento ar, por ser associada às feiticeiras-pássaros, as Iami Oxorongás, e com o elemento fogo por sua ligação com a feitiçaria.

É a Senhora da mítica sociedade feminina secreta Elekô, proibida aos homens e formada por guerreiras feiticeiras como ela. As mulheres componentes da sociedade Elekô não têm os polegares e são ambidestras no manuseio das armas. Usam seus oito dedos com tal maestria que parecem ter 100, e por isso são guerreiras imbatíveis.

Obá é também a principal Orixá no culto das Geledés, as ancestrais femininas que retornam esporadicamente ao Aiê/a Terra, escondidas sob enormes máscaras repletas de axé. O culto aos ancestrais tem um papel muito importante para o povo iorubá e Obá é a representante suprema da ancestralidade feminina. Obá não tem iniciados (filhos), só mulheres. Seus símbolos são a espada, o escudo, o *ofá*/o arco e flecha e o chicote de crina de cavalo.

É uma das esposas de Xangô, e foi assim que eles se conheceram... Certo dia, em uma das noites de culto da Elekô, Xangô caminhava alegremente, dançando ao som do *batá*, seu tambor, quando percebeu ao longe um aglomerado de mulheres, realizando uma cerimônia sob as ordens de Obá. Curioso, Xangô se aproximou para observar. Logo se encantou com a rara beleza de Obá, que não era jovem, mas era a mais bela mulher que ele já vira.

Num momento de distração Xangô foi notado. As mulheres o cercaram, e ele foi levado à presença de Obá, que lhe comunicou o quanto era grave sua falta: que o preço a pagar por violar o culto sagrado de Elekô era a morte. Mas Obá também se encantou com a inigualável beleza de Xangô. Relutando em aplicar a sentença de morte, usou de sua supremacia no culto para ditar novas regras: "Todo homem que violar o culto, se for do agrado da Senhora do culto, deverá unir-se a ela como marido ou aceitar a pena de morte". Xangô não pensou duas vezes: além de ser poupado da sentença de morte, ainda possuiria a grande deusa por quem havia se apaixonado.

A cerimônia de união de Xangô e Obá foi realizada dentro do território da Elekô. A deusa guerreira e justiceira, que pune os homens que maltratam mulheres, descobriu um sentimento novo, diferente do ódio, por um homem. Nasceu dessa grande paixão uma menina, chamada Opará, bela, justiceira e feroz como os pais. Foi ela quem deu prosseguimento ao culto da Elekô.

Em mitos posteriores, o papel de Obá foi mudando e se apequenando de maneira muito significativa. Acabou sendo identificada basicamente como a primeira esposa de Xangô, que era velha, feia, de temperamento ranzinza e irascível, extremamente ciumenta e que foi feita de boba por Oxum.

Provavelmente essa distorção mítica na figura de Obá ocorreu com o avanço da visão patriarcal dentro dessa tradição, como forma de diminuir ou mesmo aviltar sua importância, força e poder, como costuma acontecer com as deusas, as representantes femininas sagradas, especialmente as mais poderosas, autônomas e livres.

Mas a verdadeira Obá, aquela devemos honrar, é a que desafia a supremacia do poder dos homens, a líder feminina por excelência, que sabe e gosta de conduzir as mulheres em suas lutas por direitos. Aquela que é a Senhora da Elekô e das Geledés. Aquela que domina todas as armas melhor que qualquer dos Orixá masculinos e que por isso é a Guerreira Espiritual Suprema. Salve Obá! Obá Siré!

O que Obá pode ensinar

A *evocar nossa guerreira interna*

É a Grande Orixá Obá e a nossa Obá interna a quem devemos evocar quando estamos vivendo relacionamentos tóxicos e abusivos de qualquer espécie: são elas, a de dentro e a de fora, que podem nos salvar!

Relacionamentos abusivos/tóxicos podem acontecer em qualquer relação humana, mas são mais frequentes nos relacionamento amorosos, sejam hétero ou homoafetivos. E, apesar de homens também poderem ser vítimas desse tipo de relacionamento, eles acontecem com muito mais frequência com mulheres. Claro, estar numa cultura que vende aos borbotões que a felicidade maior ou talvez a única verdadeira que uma mulher pode ter é encontrar seu grande amor, torna fácil cair nessa ilusão e viver buscando isso, quase que a qualquer preço.

Na base da razão de nos submetermos a um relacionamento que quase que o tempo todo nos deixa mal, que faz com que a gente se sinta sempre menos e não merecedoras, que nos deixa com frequência angustiadas e inseguras, existem falsas crenças e padrões emocionais distorcidos sobre o que é amor. Quais são essas armadilhas?

A primeira foi dita acima: acreditar que só seremos felizes ao viver um grande, perfeito e romântico amor, algo muito diferente do amor bom, mas cheio de falhas e imperfeições, que é possível viver entre dois seres humanos. E não conseguir acreditar que é totalmente possível também estar vivendo muito bem e satisfeita, mesmo não estando em um relacionamento amoroso.

Outra armadilha é quando pensamos que só ao ser amada por "aquela" pessoa é que teremos valor, que se ela não nos amar ninguém mais o fará, e que não vamos sobreviver sem ela. Aí entregamos todo nosso poder pessoal a esse alguém, permitindo que ele/ela faça o que quiser conosco. Isso não é amor – nem da nossa parte, nem do outro. Isso é dependência emocional e jogo de poder.

Mais uma falsa crença é acreditarmos que aquilo que o parceiro/parceira faz que nos fere no fundo é sempre culpa nossa. É sentir como verdadeiras falas como: "Eu te amo SÓ se você for assim ou assado. Se você não for, a culpa de deixar de te amar não é minha, é sua"; "Se eu tive que agir assim (te humilhando, te diminuindo, te controlando, te xingando, te empurrando, te batendo...) é porque você me obrigou a isso com suas atitudes"; "É você quem trai o amor que eu sinto por você e por sua culpa, sua máxima culpa, eu acabo tendo de te amar menos, mesmo não querendo isso". E aí em vez de nos salvar e cair fora de uma "roubada" como essa, buscamos salvar/reconquistar o amor que achamos que o outro sente por nós...

E quando projetamos na criatura "amada" qualidades quase divinas e nos sentimos agradecidas ou até mesmo honradas pelas migalhas de atenção e afeto que ele/ela nos dá? Afinal ele/ela é tão mais bonito, mais inteligente, mais bem sucedido, mais articulado, mais culto, mais popular, ou seja lá o que for, mas acima de tudo tão mais que a gente... Essa é uma triste mistura de uma autoestima baixíssima com uma visão altamente idealizada da pessoa que acreditamos amar. Na verdade, nem sabemos quem somos nós, nem quem ela é.

Outra atitude nefasta, que muitas vezes se junta a várias outras descritas acima, é crer muito mais no que está sendo dito do que em como as coisas estão acontecendo na realidade. Às vezes a verdade está "gritando na nossa cara" e no entanto preferimos continuar acreditando nas palavras doces que queremos ouvir.

São essas crenças imaturas, ilusórias e perigosas que nos fazem entrar e permanecer em relacionamentos abusivos. Não é uma questão dos parceiros que encontramos (mesmo eles tendo também responsabilidade pela situação), mas no que acreditamos e em como lidamos emocionalmente conosco mesmas. Por isso mesmo é que sair de um relacionamento abusivo é tão difícil!

Precisamos muito da coragem, da vontade e da garra da nossa Obá interna para nos libertar e nos ajudar a cair fora. E a força de uma Obá externa: uma amiga, uma irmã, uma terapeuta, uma mentora ou um grupo de mulheres – uma Elekô – pode ser fundamental nesse momento. Muitas vezes é só com o apoio da irmandade feminina que conseguimos nos salvar. Que Obá nos proteja e guie!

Ostara
A Dona da Vida que Renasce

Tradição saxônica-germânica

Seu mito

Ostara, também chamada de Eostre, Eástre ou de "Madrugada Radiante", era a deusa saxônica-germânica da primavera. Os saxões formavam um conjunto de tribos que falavam a língua germânica e que viviam nas planícies do norte da atual Alemanha. Algumas dessas tribos migraram, ainda na Antiguidade, para a Escandinávia e outras, durante a Idade Média, para a Grã-Bretanha.

Apesar de ser uma deusa importante no panteão germânico e de ter sido muito celebrada por esses povos, muito do que se sabia sobre ela foi perdido através dos tempos.

O que permaneceu foi que Ostara simbolizava o renascimento da natureza na primavera, após os rigorosos invernos dessas regiões setentrionais da Europa. Era também associada à aurora, quando o Sol surge para iluminar a Terra, fato particularmente importante nesses locais escuros e frios. No alemão antigo, *ostar* significa o nascer do sol no leste. Mas Ostara representa em especial a luz e o calor crescentes da primavera: ela é aquela que traz, junto com a estação, a alegria, a fertilidade e as bênçãos para a Terra e para os que nela habitam.

Era retratada como uma mulher jovem, graciosa e muito bela. Quando Ostara retornava à Terra no solstício da primavera, com suas vestes diáfanas, destilava um aromático e doce orvalho que era recolhido como ingrediente para banhos rituais, pois, segundo a crença, continham o elixir da eterna juventude.

Diziam que durante toda a primavera Ostara podia ser avistada, de quando em quando, em alguns locais mais ermos. Contemplando os campos verdes e floridos, ouvindo o canto dos pássaros e os sons de outros animais andando na relva, caminhava macia e vagarosamente com os pés descalços pelas margens dos regatos e depois banhava-se em suas águas frescas.

Ostara carregava um molho de chaves, símbolo da sua capacidade de abrir o tempo mais luminoso e quente do ano e "trancar" a escuridão e o frio do inverno. Ela vinha no equinócio da primavera e se despedia no equinócio de outono.

No dia do retorno de Ostara, o dia do equinócio da primavera no Hemisfério Norte (que acontece nos dias 20 ou 21 de março, dependendo do ano) os antigos saxões germânicos iam até o campo para colher flores e as levar para casa, pois acreditavam que as flores colhidas nesse dia eram mágicas e, por meio delas, seriam capazes de se conectar à energia revigorante de toda a Natureza. Essas flores eram secas e com elas eram feitos ornamentos para adornar as casas e trazer sorte, saúde e felicidade para seus habitantes. Esses enfeites duravam até a vinda da deusa no ano seguinte, e aí eram trocados por outros feitos de novas flores, assegurando assim a continuidade de suas bênçãos.

O molho de chaves que Ostara carregava era também um símbolo do poder feminino para esses povos. Isso porque, nas comunidades germânicas antigas, possuir o molho de chaves de uma propriedade representava o maior prestígio que uma mulher poderia ter. Ter a posse de todas as chaves era ter acesso a qualquer das portas do local, inclusive a do celeiro, reservatório de alimentos para o inverno. Possuir sua chave significava ter a capacidade e o poder de gerenciar esses recursos, garantindo a sobrevivência da família durante a estação gelada.

Outros símbolos associados a essa deusa são as lebres e os ovos. Como Ostara, a deusa da fertilidade, a lebre é muito conhecida por seu poder procriador e o ovo sempre esteve associado ao começo da vida.

As lebres, nessas regiões, vivem a maior parte do tempo frio em hibernação em tocas feitas embaixo da terra, mas no final de março e começo de abril saem delas, correm e saltitam nos campos, anunciando a primavera e saudando a deusa. Ostara gosta tanto das lebres que entalhou uma figura dela na Lua para que todos possam vê-la.

O regresso do tempo ameno da primavera fazia com que os saxões realizassem festivos rituais nos campos ao ar livre para honrar e celebrar Ostara. Neles, enfeitavam as árvores com ovos pintados com muitas cores, como símbolo da fertilidade, da germinação, da renovação da natureza e da sorte. Também era tradicional haver a troca dos ovos pintados, que serviam de presentes para parentes e amigos.

Durante esses festivais era costume que as mulheres assassem pães e roscas em forma de lebre para oferecer à deusa e assegurar a fecundidade feminina e o nascimento abençoado das gerações seguintes. Havia também uma espécie de procissão na qual as pessoas desfilavam com as cabeças enfeitadas com guirlandas de flores e tocando sinos, saudando a deusa.

Curiosamente, alguns de seus símbolos foram incorporados ao cristianismo e mesclados na comemoração da Páscoa cristã, que acontece no Hemisfério Norte, próximo ao equinócio da primavera, mas sem qualquer menção a essa antiga tradição pagã ou a sua deusa. Inclusive para demonstrar essa relação, uma das denominações de Ostara, Eástre, sobreviveu na língua inglesa como Easter/Páscoa.

Pensemos no hábito amplamente disseminado no Ocidente de nessa época trocar ou distribuir ovos de chocolate, e na história contadas às crianças de eles serem trazidos pelo Coelho da Páscoa. Essa tradição não parece ter qualquer relação com a simbologia ou a ritualística cristã. Agora, quando pensamos em Ostara, podemos refletir sobre a real origem desses costumes...

O que Ostara pode ensinar
A manter o eterno frescor na vida

Ostara vem nos mostrar que a vida, para ser vivida de forma plena até o dia da nossa morte, implica em que constantemente estejamos deixando morrer o velho que já acabou e renascendo, nos abrindo para o novo. Metaforicamente, deixar o inverno findar em nossa vida, para que a primavera, com todas suas possibilidades, nasça nela de novo!

Para isso acontecer, é preciso, com constância, estar disponível a querer conhecer coisas ainda não conhecidas, buscar o prazer de realizar coisas nunca feitas, ousar experimentar em áreas ainda não vividas, pisar com coragem o chão do desconhecido.

É abrir espaço na mente, no coração, na alma, para o inesperado, o assombro, o "frio na barriga" do não saber. É buscar dentro de nós a postura plena de curiosidade e encantamento que têm as crianças pequenas ao encarar o mundo.

E viver o novo não precisa, necessariamente, ser com algo que nunca tenho sido visto ou experimentado. Essa vivência pode vir a partir um novo olhar, uma nova percepção, uma nova perspectiva que transforma aquilo que era plenamente conhecido em uma novidade, quase em outra coisa, uma nova descoberta. É preciso se abrir para o novo que acontece fora da gente, mas também para o novo que nasce dentro da gente!

E cada etapa da vida – infância, adolescência, juventude, idade madura, velhice e todas suas muitas subdivisões – já traz em si possibilidades imensas de novas descobertas de como sermos, ao mesmo tempo, nós mesmas e muito diferentes do que já fomos. Essas etapas pedem novas formas de estar no mundo, pois trazem novas demandas, novas questões, novas descobertas, novas pre-

missas, novos limites, novos recursos. Apenas por existir no tempo, já podemos estar no processo dinâmico de eterna redescoberta e transformação, vivendo constantes invernos e primaveras.

Se não nos apegarmos rigidamente a nossos comportamentos, pensamentos, crenças e valores, ou não nos paralisarmos num modo imutável de funcionamento, podemos experimentar formas novas de ser a gente mesma e de olhar de maneira renovada para os outros, para a vida e para o mundo, o tempo todo da nossa existência.

A eterna fonte, não da juventude, mas do frescor da vida plena de vida, está na perene curiosidade e no encantamento sobre o Mistério que somos nós e esse imenso universo, onde periodicamente Ostara traz a primavera, renovando as pessoas, a natureza e o planeta Terra, essa linda nave espacial em que vivemos.

Pachamama
A Teia da Vida

Tradição andina/quéchua

Seu mito

Pachamama ou Pacha Mama é uma importante e complexa deidade feminina dos quéchuas, povos que habitam a cordilheira dos Andes e falam a língua quíchua. Foram alguns desses povos que construíram o Império Inca em cerca de 1.200 d.C., a mais importante civilização pré-colombiana da América do Sul, com uma cultura muito desenvolvida e extenso território, mas que durou apenas três séculos. Os incas, mesmo sendo exímios guerreiros, enfraquecidos por disputas internas, foram dominados pelos espanhóis com suas imbatíveis armas de fogo, em 1532.

Mas o povo quéchua, estimado hoje em mais de 12 milhões de pessoas, continua a habitar uma vasta região andina, entre o Peru, a Bolívia, o Equador, a Colômbia, a Argentina e o Chile.

Antes da colonização espanhola, os quéchuas eram panteístas, ou seja, para eles deus, natureza e universo eram uma única coisa e não diferentes entidades. Na cosmovisão andina, a natureza é toda a realidade, a material e a espiritual e tudo o que existe é sagrado.

Acreditavam que os seres humanos não são uma criação especial; são iguais a todos os outros seres da natureza, sem nenhum direito diferenciado. Dessa forma, os recursos naturais não são recursos a se explorar, mas seres irmanados. Para os quéchuas, existe uma profunda relação mística com a natureza.

A concepção religiosa quéchua vê *Pacha* como um todo, um universo onde estão juntos o tempo e o espaço. *Pacha* é formado por três mundos interligados: o Mundo de Cima/espaço (*Hananpacha*), onde estão o sol, a lua e as estrelas, cujo animal simbólico é o condor; o Mundo Interior/superfície (*Kaypacha*), onde estão a vegetação, animais e humanos, e que tem como animal-símbolo o puma; e o Mundo de Baixo/interior da Terra (*Ukupacha*), habitado pelas sementes e pelos mortos, e que tem como animal símbolo a serpente. Os três mundo formam um único todo, em constante interação, e são conectados por duas enormes serpentes que saem do Mundo de Baixo para ir para o Mundo Interior. Uma das serpentes tem a forma de um grande rio e é a fonte das águas. A outra tem a forma de uma imensa árvore. Do Mundo Interior as serpentes vão conectar-se com o Mundo de Cima, e nesse trajeto a primeira se transforma em Trovão e a segunda, em Arco-íris.

Mama quer dizer mãe de tudo. Pachamama (*Pacha* + *Mama*) então significa tanto a Mãe desse conjunto de mundos em constante e permanente fluxo de ligação e troca, como os mundos em si.

A partir da conquista espanhola e da evangelização cristã massiva e muitas vezes violenta, os quéchuas misturam um catolicismo popular com suas antigas tradições religiosas. As representações de Pachamama continuam a permear a cultura andina. Ela está presente na religiosidade, na arte, na vida cotidiana desses povos e principalmente em sua relação com a natureza. O dia 1º de agosto é comemorado como seu dia. Nessa data os devotos enterram panelas de barro com comida cozida, folhas de coca e *chicha* (bebida fermentada à base de milho) em locais próximos às suas casas, como oferenda a Pachamama.

Traduzir Pachamama por "Mãe Terra" é apenas utilizar o termo mais próximo que podemos encontrar. Não existe uma terminologia moderna que possa expressar seu vasto significado. Talvez o que chegue mais próximo de seu simbolismo mítico seja a Teoria de Gaia*, uma hipótese de ecologia profunda que propõe que a biosfera e os componentes físicos da Terra são intimamente integrados, de modo a formar um complexo sistema que mantém as condições climáticas e biogeoquímicas em equilíbrio. É uma visão não mecanicista da vida e da Terra, uma visão holística e sistêmica que vê a estreita interdependência de todos os seres vivos entre si e com o planeta, que também é vivo. Uma visão que enxerga a qualidade dessas relações como fundamental para que a vida de todos e de tudo, floresça, se mantenha e se perpetue.

É a essa mesma visão que o Chefe Seattle dos povos nativos norte-americanos se refere numa carta ao presidente dos Estados Unidos, Franklin Pierce, em 1854 : "Tudo o que acontece à Terra, acontece aos filhos da Terra. O homem não teceu a teia da vida, ele é meramente um fio dela. O que quer que ele faça à teia, ele faz a si mesmo".

Pachamama é a Teia da Vida, é Gaia e tudo o que Nela vive.

O que Pachamama pode ensinar

A saber que somos apenas fios na Teia da Vida

Pachamama simboliza uma nova visão sobre a vida, radicalmente diferente da propagada pela cultura dominante. Mais do que uma nova visão, traz uma nova cosmologia que reconhece que a vida da natureza, seres humanos incluídos, só se manterá por meio da cooperação e dos cuidado mútuos. Que somente dessa forma será possível respeitar e preservar a diversidade de todas as formas de vida, assim como respeitar suas expressões naturais e culturais, que são as verdadeiras fontes da nossa riqueza.

Essa nova visão e cosmologia nos fala que essa é a única maneira de manter o planeta como um lugar habitável para o ser huma-

---

* Hipótese desenvolvida pelo cientista britânico James Lovelock, a partir de 1960.

no. Porque dizer que podemos acabar com a Terra é uma tremenda onipotência: ela é maior que nós. Mas podemos, sim, infelizmente, transformar esse lindo planeta em um lugar em que a vida humana e outras formas de vida sejam inviáveis. O que seria, além de uma enorme pena, de uma insensatez tão imensamente estúpida que chega a parecer impossível que alguém concorde com ela.

Mas infelizmente o que prepondera no mundo é a visão de que o correto e desejável é se buscar um crescimento econômico constante, com a elevação do padrão de vida material pelo aumento do consumo de bens industrializados; que dessa forma alcançaremos o desenvolvimento global, que será compartilhado por todos.

Esse tipo de vida, porém, não é sustentável no tempo! Os recursos naturais não são inesgotáveis, estamos danificando de forma extrema nosso habitat com os efeitos de nossas ações, aumentando de maneira gritante a desigualdade entre nós, destruindo a rica diversidade, acabando com espécies e culturas e transformando nossas vidas em algo sem Sentido, nem Significado. Não somos mais pessoas, sequer cidadãos, somos meros consumidores de bugigangas caras e de vidas plastificadas e fakes, disseminadas pelas redes sociais.

Que desperdício de Vida! Necessitamos de forma visceral e urgente da visão de Pachamama.

Precisamos de uma radical transformação no entendimento de quais são as nossas reais necessidade e de como podemos atendê-las. Precisamos tomar consciência de que o que nos traz uma boa vida – tirando o que é realmente necessário para se viver de forma digna – nunca são coisas. E que a busca de uma vida simples é na verdade uma libertação do círculo vicioso de "trabalho-consumo-dívida-mais trabalho", que pede sempre um aumento crescente de cada um de seus componentes.

A simplicidade voluntária é uma libertação do consumismo e não privação ou ascetismo. É uma forma de poupar, mesmo que no miudinho, nossa Mãe Terra. E muitos miudinhos juntos podem formar uma multidão. É como diz um antigo ditado africano: "Muita gente pequena, em muitos lugares pequenos, fazendo coisas pequenas, mudará a face da Terra".

Pachamama também simboliza uma visão que introduz no campo da ética a necessidade de considerar valores como o cuidado e a empatia, para além daquelas decisões ligadas a uma fria racionalidade e a uma visão dita imparcial. Ter esses valores como parâmetro implica perceber as situações não de uma forma abstrata e genérica, mas de uma forma específica, "pessoalizada", distinguindo, por exemplo, situações em que graus muito diferentes de vulnerabilidade pedem diferentes soluções. Nesse sentido, há a necessidade de cada caso ser analisado em seu próprio contexto, pois um tratamento igual sob quaisquer circunstâncias pode vir a ser injusto. A ética sensível ao cuidado tem uma relação estreita com o respeito tanto à igualdade quanto às diferenças.

É de verdade construir um mundo novo, muito diferente do atual. É uma tarefa imensa, complexa, ousada, extremamente difícil e que não será necessariamente atingida. Por tudo isso, deve ser assumida por TODOS que desejam isso. Por todos que, mais do que querer, veem essa como nossa única salvação.

Mas, parece que são as mulheres é que estão tomando a dianteira nessa incrível jornada. Talvez porque geralmente são elas e as crianças que mais sofrem com essa cultura nefasta em que vivemos, mesmo que sejam privilegiadas. E porque Pachamama fala a nós de forma mais particular. E porque a forma como uma cultura costuma tratar as mulheres se reflete na forma como trata a Terra. Além disso, como diz a ativista e doutora em filosofia, a indiana Vandana Shiva, como as mulheres de forma geral e por milênios foram deixadas (e sem remuneração, nem escolha) com as tarefas de reproduzir e sustentar vida: cozinhar, lavar, limpar, cuidar das crianças, dos doentes e dos idosos, da agricultura de subsistência, dos animais domésticos, da confecção de roupas e assim por diante, elas se tornaram experts em tudo o que se refere à Vida.

Por todas essas razões são principalmente as mulheres que lutam e lutarão por trazer a real qualidade de vida de todos e tudo, inclusive do nosso planeta, como o ponto focal na construção desse Novo Mundo. E são elas que dizem e continuaram dizendo que ele deve que ser construído sob a visão e os auspícios de Pachamama.

Pele
A Senhora dos Vulcões

Tradição polinésia/havaiana

Seu mito

Pele é a deusa havaiana dos vulcões e do fogo, da destruição e da criação da Terra, e da dança sagrada. Ela é uma *Malihini*, ou seja, uma deusa que "imigrou" para o Havaí com a colonização polinésia. Os polinésios começaram a navegar pelo oceano Pacífico há cerca de 3.500 anos, povoando as ilhas do sul do oceano; chegaram ao arquipélago do Havaí em 800 d.C. Pele foi incorporada à mitologia havaiana e hoje é a deidade mais conhecida e reverenciada desse panteão.

Contam que a deusa nasceu no Taiti, filha de Haumea, deusa da Terra, e Kane Milohai, deus do Céu. Quando Haumea estava grávida, os anciãos da tribo disseram que o nascimento ocorreria quando a noite estremecesse, o céu se abrisse em luz e ocorresse uma enorme tempestade; seria uma "criança sagrada". Quando nasceu, podia-se ver o brilho do fogo refletido nos olhos da menina; ela foi chamada de Pele.

Desde pequena, Pele demonstrou ter temperamento forte, passional e explosivo e, por isso, quando jovem acabou sendo expulsa de casa por seu pai. Banida da sua ilha natal, Pele saiu mundo afora velejando, seguindo uma estrela a noroeste. Antes de partir, seu tio Lonomakua, guardião do Fogo, lhe deu um bastão mágico, o *Paoa*, para acender o fogo em sua nova morada. O deus Tubarão Kamohoalii a protegeu durante toda sua navegação pelo oceano. Após uma longa viagem, numa manhã ela avistou ao longe um nevoeiro no alto de um cume em uma grande e linda ilha e soube que tinha encontrado sua nova morada: era o Havaí.

Desembarcou e, carregando seu bastão mágico, subiu a montanha, que na verdade era um vulcão. Deu a ele o nome de Kilauea e construiu sua casa na cratera Halemaumau. Usou o *Paoa* e criou várias outras crateras vulcânicas.

O Kilauea, localizado a sudeste da maior ilha do arquipélago do Havaí, é um dos vulcões mais ativos do mundo e toda vez que entra em erupção os nativos dizem que é Pele se expressando.

As erupções desse vulcão fazem a ilha aumentar de tamanho, porque parte da lava que escorre, rica em minerais, ao cair no mar e esfriar vai se transformando em terra. Dessa forma, ano a ano, a ilha vem expandindo seu território. Então Pele é o fogo que destrói mas também é aquele que constrói. Ela é a que tira a vida com o fluxo destruidor da lava, e aquela que dá a vida e a faz florescer com as terras férteis criadas também pela lava. Por isso Pele é chamada nos cânticos sagrados havaianos de *Pele Honua Mea*, que significa "Aquela que dá forma à Terra Sagrada".

Ocasionalmente Pele aparece para as pessoas, em diferentes formas. Pode ser vista como uma jovem mulher com longos cabelos escuros, usando um vestido vermelho e dançando próxima ao vulcão. Quando furiosa, pode aparecer como uma mulher em chamas ou até como o próprio fogo. Pode também aparecer como uma velha seguida por um cão branco. Nessa faceta costuma testar quem a vê: pede comida e bebida para ela e seu cão. Aqueles que mostram compaixão são poupados e recompensados. Entretanto, os que são cruéis, desrespeitosos ou insensíveis são punidos com seus lares destruídos pelo fogo. Apesar desse perigo, sua face anciã, a *Tutu Pele*, é amada pelo povo havaiano por seus conselhos, sua sabedoria e por advertir as pessoas em caso de perigo iminente. Em todas as suas formas, ela desaparece no ar tão rápido quanto surgiu.

Pele também é simbolizada pela árvore Ohi'a Lehua, nativa do Havaí, que cresce rapidamente na terra feita da lava. Conta a lenda que o guerreiro Ohia foi transformado em árvore pela deusa Pele, que havia se apaixonado por ele e ficou enfurecida porque ele não correspondeu a seu amor, já que estava apaixonado pela jovem Lehua. Arrependida, a deusa fez de Lehua uma linda flor vermelha que cresce na árvore.

Antes da chegada do homem branco às ilhas, as sacerdotisas de Pele usavam roupas com as mangas e barras queimadas, além de carregar uma vara simbolizando o bastão *Paoa*. Mas, apesar das novas crenças, a presença de Pele ainda é bastante marcante na história do povo havaiano, tanto como culto quanto em suas manifestações vulcânicas permanentes.

Para demonstrar sua devoção à Deusa, os havaianos a glorificam com cantos e danças sagradas. Essas danças sensuais e místicas se denominam *hula* e são um dos únicos vestígios da antiga vida havaiana. Os nativos acreditam que os sons da *hula* não são compostos por mortais, mas pelo espírito de Pele que incorpora e os transmite a seus cultuadores. Acreditam também que todos que dançam a *hula* estão possuídos por ela: a *hula* e Pele são indissociáveis.

Ainda hoje, muitos havaianos consideram a deusa como sua *Aumakua*, ou Espírito Guardião, e levam para ela oferendas de peixes, flores e frutas. E advertem: se você for ao Havaí jamais remova qualquer rocha de seu vulcão, pois Pele castiga trazendo muito azar a todo aquele que profanar os locais da natureza que estão sob a sua guarda.

O que Pele pode ensinar
A raiva que cria chão

Pele vem nos falar sobre a importância da raiva em nossa vida. Pode soar estranho falar sobre o lado positivo da raiva, quando tantas doutrinas e visões dizem que "devemos erradicar a raiva de nossos corações". Nas mulheres, então, a raiva é ainda mais mal vista. Isso quando não é "classificada" de fruto da TPM, ou considerada ressentimento por se ser "mal amada ou mal comida" ou, pior, quando é vista como sintoma da falta de racionalidade ou mesmo da loucura "típicas" da mulher.

Psicologicamente falando, a visão da raiva como uma questão de fraqueza ou falha de caráter é uma grande bobagem. A raiva é uma emoção e não há como alguém impedir a si mesmo de senti-la, assim como não controlamos nada do que sentimos. O máximo que conseguimos fazer é reprimir a consciência de estarmos sentindo raiva. Isso pode ser muito prejudicial; essa raiva não reconhecida pode agir na pessoa sem que ela tenha consciência e/ou ser projetada no outro. E, muitas vezes, a raiva é absolutamente legítima e expressa uma reação emocional bastante saudável da pessoa.

A questão é aprender a lidar com nossa própria raiva de forma adulta. E não tem nada a ver com comportamentos agressivos, grosseiros, hostis: nada! Como fazer isso?

Em primeiro lugar, é preciso admitir, sem julgamento ou culpa, que estamos sentindo raiva. Depois, temos que nos perguntar, interiormente, e da forma mais honesta possível, por que estamos sentindo aquilo.

As razões podem ser muitas, mas quero falar de quatro categorias de motivos para sentir raiva e como lidar com cada uma delas.

Primeiro, a raiva pode ser uma reação imatura e infantilizada diante de frustrações a nossos quereres. Quero que o outro se comporte como eu quero ou que as coisas aconteçam como eu quero, e quando isso não acontece fico com muita raiva do outro e/ou da vida. Essa é uma reação típica de criança mimada que não aceita os limites aos próprios desejos, nem os direitos dos outros. Então, *ao invés de aceitar que às vezes a gente ganha e às vezes a gente perde, "bate os pés no chão" de birra e/ou fica emburrada.*

Nesse caso, tem que haver um trabalho pessoal e ativo de amadurecimento, pois esse tipo de raiva é incompatível com um ser humano adulto.

Outro tipo de raiva acontece quando vamos engolindo com constância "pequenas raivinhas", quando não colocamos limites em comportamentos abusivos porque não queremos conflitos ou desarmonia, até que um dia uma pequena questão faz transbordar todo esse lixo raivoso acumulado e explodimos como um vulcão.

Aí a questão não é o transbordamento da raiva, mas o aceitar em pequenas doses o que nunca deve ser aceito. O que há que se fazer nesse caso é repensar por que deixamos as coisas chegarem aonde chegaram.

Outra qualidade da raiva acontece quando estamos muito cansadas e estressadas com as demandas da vida e explodimos com alguém que muitas vezes não tem nada com isso, só "paga o pato". Nesse caso, o que temos que fazer é humildemente aceitar que somos humanas e falhas, de forma verdadeira pedir desculpas a quem magoamos e repensar como podemos mudar algo em nossas vidas para não ficarmos emocionalmente tão abaladas.

A última categoria de raiva é aquela construtiva e saudável. Aquela que nos impele e nos dá força para mudar aquilo que nos faz mal, nos prejudica, nos ameaça, nos diminui, nos aprisiona, nos debilita, nos deprime, seja uma pessoa, um relacionamento, um trabalho, um estilo de vida.

Às vezes é só ao nos permitir ficar com raiva, com muita raiva de quem e/ou do que nos faz sentir assim, que encontramos força para sair da situação. Às vezes é a raiva legítima que nos impele para a ação, é ela que, como a lava do vulcão de Pele, cria o chão sobre o qual podemos construir a mudança necessária para a busca de uma vida melhor e mais verdadeira para nós.

Sarasvati
A Senhora da Sabedoria

Tradição hinduísta

Seu mito

Sarasvati é a deusa hindu da sabedoria, a que glorifica o conhecimento e repudia a ignorância. É a protetora das Ciências Sagradas, assim como de todos os saberes, das artes e do artesanato. É considerada a mãe dos Vedas, os clássicos e antigos textos hindus, e a criadora do alfabeto *devanagari*, a linguagem dos deuses. É também chamada de Vak Devi, a Deusa da Fala: arasvati ou vak é o Verbo, o som criador primordial.

Foi Sarasvati quem deu aos seres humanos o poder da fala, a capacidade de aprender e de criar, e de adquirir sabedoria. É a protetora dos artesãos e dos artistas: pintores, escultores, músicos, atores, escritores, dos estudantes e dos professores de uma forma geral.

Dizem que as pessoas que buscam sabedoria devem orar para Sarasvati. Os sábios hindus, antes de começar qualquer leitura dos livros sagrados, invocam o nome dela para que lhes conceda a perspicácia e o discernimento necessários para o correto entendimento de suas palavras.

Na mitologia védica, Sarasvati além de uma deusa era

também um rio, o antigo e já extinto rio indiano Sarasvati. Para os hindus, os rios são divindades femininas, Mães que concedem vida e alimento. O rio Sarasvati deveria significar para os primeiros hindus o que o rio Ganges representa para os de hoje: o símbolo da energia feminina divina que desce dos céus para purificar a vida no plano terrestre.

Como deusa, Sarasvati geralmente é representada como uma linda mulher de pele muito branca e com quatro braços. Em uma das mãos segura as escrituras sagradas, na outra um japamala – um colar de contas, símbolo da meditação. Com as outras duas mãos, toca a *veena*, um instrumento de cordas que emite o som do OM, o som do qual emanou todo o Universo, segundo a tradição hinduísta. O OM é a raiz de todos os sons da natureza e o mais poderoso mantra.

Os símbolos de Sarasvati são o cisne e a flor de lótus branca. No hinduísmo, o cisne é a ave sagrada que sabe distinguir o essencial do superficial, pois quando lhe é oferecida uma mistura de leite e água é capaz de beber só o leite. A flor de lótus branca simboliza a pureza da mente e do espírito.

Na tradição hinduísta a totalidade divina se divide em três deuses, cada qual com uma diferente função: Brahma é o criador do universo, Vishnu é quem o preserva, assegurando sua continuidade, e Shiva é quem o dissolve/destrói, para que novamente tudo nele seja reconstruído, na eterna dança cósmica da criação. Só que o poder masculino divino só consegue agir se for ativado por um poder feminino, também divino, chamado *Shakti*. Sarasvati é a *Shakti* consorte de Brahma, o criador.

Sarasvati é uma deusa de forte significação e influência na tradição hinduísta desde o período muito antigo e até hoje. É reverenciada além da Índia e do Nepal, pelos hinduístas de outros países como Japão, Vietnã, Indonésia e Mianmar (a antiga Birmânia).

O que Sarasvati pode nos ensinar
O poder do pensar

Sarasvati vem nos falar da importância do pensar/refletir, da busca da compreensão intelectual e do aprendizado constante. E do prazer e poder que vêm com essas práticas.

Isso pode soar óbvio, um desejo universal entre os seres humanos que têm o privilégio de exercer com liberdade essas práticas, mas infelizmente a realidade é muito diferente.

Muita gente acha, por exemplo, que pensar cansa, dá trabalho, é difícil, implica muito esforço! E, pior, é perigoso, pois pode nos fazer duvidar de nossas certezas, pode abalar os alicerces mentais nos quais apoiamos nossas crenças e valores: é muito mais confortável seguir acreditando no que acreditamos sem pensar. Afinal, ao refletir, pode ser que percebamos que nossas crenças são falsas... e aí vamos ter que mudar de ideia, de perspectiva, de convicções. Permanecer na ignorância pode ser mais cômodo.

Talvez sejam essas as razões por que grande parte das pessoas não pensa verdadeiramente. São cheias de opinião, mas vazias de qualquer reflexão pessoal. Pior que isso, são fechadas a considerar e/ou aprender sobre qualquer coisa que seja diferente ou desconhecida para elas. Só aceitam aquilo que vem bem "mastigado" e de fontes que sabem que vão dizer as mesmas coisas em que já acreditam.

São essas atitudes que Sarasvati vem colocar em xeque. São esses posicionamentos de estagnação e preguiça mental, de acomodação ao que já sabemos ou acreditamos saber, de não reflexão sobre nossas "verdades", da escolha deliberada em permanecer ignorante que ela denuncia e condena: afinal, Sarasvati é a deusa que enaltece e honra a capacidade intelectual humana!

Pode-se argumentar que dizer que muitas pessoas não pensam é uma afirmação falsa, pois elas pensam o tempo todo; até gostariam de não pensar tanto. Mas isso que muitas vezes chamamos de pensar, não é de verdade pensar – são copiosas falas internas que acontecem espontaneamente dentro nós, que praticamente não controlamos e que tiram nosso foco da vida real que acontece no aqui-agora.

Um velho mestre – Ângelo Gaiarsa* – chamou isso, com muita propriedade, de "fofoca mental". Construímos muitas vezes longos enredos, verdadeiras sagas, que na verdade só existem dentro da nossa cabeça, e depois os projetamos nos outros e no mundo externo. Acreditamos em nossas ficções internas como se fossem reais: isso pode até criar paranoia. Pensar não é isso, definitivamente!

Pensar, refletir e aprender são funções ativas; são uma busca voluntária de ampliação e aprofundamento na compreensão de determinado assunto ou situação. São práticas em que a pessoa se engaja deliberadamente, com energia, foco, atenção e coragem. É importante também que procure obter a maior quantidade de informação disponível, pois é sempre bom levar em conta o que os outros e o mundo "dizem" sobre o tema a ser pensado.

Algumas atitudes são imprescindíveis para o verdadeiro exercício do pensar e do aprendizado. Em primeiro lugar, tem que haver a real disposição para se abrir a isso, mesmo correndo o risco de mudar de ideia ou crença. É preciso ouvir e verdadeiramente levar em consideração opiniões diferentes, discordantes: para isso não pode haver a crença de já ter chegado à Verdade. Quem se acha "dono da verdade" não se abre para a verdadeira e honesta reflexão e não aprende nada além do que já sabe ou que acha que já sabe.

É preciso também não temer as próprias dúvidas, especialmente sobre as coisas em que queremos muito acreditar, pois se nos fecharmos às nossas questões por medo delas, nunca poderemos testar nossas crenças para reforçar ou refutar, e mudar. Nossas crenças têm que passar continuamente pelo teste dos nossos próprios questionamentos.

Pensar implica ainda não ter fé cega em qualquer autoridade! Pode-se respeitar qualquer um, antepassado, estudioso, especialista, mestre ou guru – vivo ou morto – mas nunca pode haver a entrega total do nosso poder de pensar de forma autônoma; esse deve ser um direito pessoal e intransferível. Assim como devemos poder questio-

---

* Ângelo Gaiarsa foi um médico psiquiatra brasileiro, falecido em 2010, autor de mais de 35 livros com temas ligados a família, sexualidade, educação e relacionamentos.

nar tudo em que acreditamos, devemos também poder questionar tudo que "as autoridades" nos dizem. E isso não significa negar o conhecimento humano já existente, negar a ciência, querer inventar a roda – é só não se ter crenças inquestionáveis e/ou imutáveis. É bom cultivar a saudável atitude de sempre podermos nos perguntar: "será que é assim mesmo?".

E nós, mulheres, temos ainda mais motivos para honrar Sarasvati. Há bem pouco tempo, historicamente falando, temos tido a oportunidade de estudar, de poder dizer de forma clara e audível o que pensamos e de gerar conhecimento fora dos padrões patriarcais, usando nossa própria experiência, perspectiva e voz – e isso é um bem inestimável. Poder pensar por conta própria e poder aprender e produzir conhecimento fora dos cânones normalmente aceitos são alguns dos maiores exercícios da liberdade humana, liberdades a que só agora várias mulheres estão tendo acesso.

E essas conquistas estão tornando possível repensar quem somos como mulheres, que crenças sobre nós são saudáveis e quais as distorcidas, o que é verdadeiro em nossos papéis históricos e em nossa definição dada por essa cultura. Isso está mudando de forma bem radical nossa visão de nós mesmas e de nossa história coletiva.

As qualidades da busca de lucidez, do verdadeiro saber, da capacidade de refletir para poder aceitar ou refutar aquilo que é considerado verdade e a mente aberta para aprender e reaprender sempre, que Sarasvati simboliza, são para nós mulheres, potentes e preciosas ferramentas de libertação!

Sofia
e o Saber da Alma

Tradição gnóstica cristã

Seu mito

O gnosticismo desenvolveu-se na mesma época e local em que surgiu o cristianismo, com o qual foi e permaneceu entrelaçado. Isso ocorreu nos primeiros três séculos da era cristã, nas regiões onde são hoje Palestina, Israel, Turquia, Cisjordânia e Síria.

Há muita controvérsia sobre a origem da tradição gnóstica e não cabe no propósito deste livro entrar nessas questões.

O que pode ser dito de forma geral sobre os gnósticos é que eram pessoas que compartilhavam a convicção de que o conhecimento direto e pessoal sobre a Verdade e o Absoluto era acessível a qualquer pessoa, não precisando de intermediários como sacerdotes, padres, rabinos, livros sagrados, e que a obtenção desse conhecimento era a suprema realização de todo ser humano.

Esse conhecimento, chamado de Gnose, não era nem o saber empírico-racional da ciência, nem o saber filosófico, ligado ao Logos, mas o saber que vem através de percepções, intuições e revelações interiores. Era por meio de um amplo mergulho no próprio mundo interno que se chegava à Verdade; só dessa maneira era possível conhecer a verdadeira natureza e destino humanos. E conhecer-se nesse nível profundo era conhecer a Deus.

Os gnósticos tendiam a considerar todas as doutrinas como aspectos diversos da mesma Verdade e por isso eram abertos e tolerantes, existindo inclusive diferentes visões aceitas dentro de sua própria tradição. No contexto deste livro, o foco será na visão mais claramente ligada à doutrina cristã, especialmente no seu início, nos séculos 1 e 2 d.C.

O conhecimento que temos hoje, tanto do cristianismo primitivo quanto dessa linha da gnose, deve-se fundamentalmente à descoberta dos evangelhos gnósticos, feita em Naj Hammadi, Egito, em 1945 e tornada disponível para os estudiosos a partir dos anos 1960.

As tradições religiosas judaica, cristã e islâmica talvez sejam as únicas do mundo que não têm uma representação divina feminina. A tradição gnóstica, apesar de suas possíveis raízes cristã e judaica, diferentemente, vê a natureza do divino como uma díade: da parte masculina temos o Inefável, o Pai Criador Supremo e, da feminina, a Graça, a Mãe do Todo. Juntos, emanaram todos os seres divinos que vivem na Plenitude, ou Pleroma. A Graça era também vista como Sofia, a Sabedoria Divina. Era dela que nascia a possibilidade humana de atingir a Gnose.

Contam que foi Sofia quem ajudou Eva e Adão em sua caminhada para a consciência. Foi com sua orientação, vinda através da serpente, que comeram o fruto da árvore do conhecimento. Com isso, tornaram-se criaturas capazes de distinguir o bem do mal, desenvolveram a capacidade de perceber-se e saber sobre si mesmos e se apropriaram do livre arbítrio. Em outro relato, Sofia é a mãe de Eva que, como filha da Sabedoria, tinha sede de conhecimento e nunca aceitaria permanecer mergulhada em uma ignorância ingênua.

Essa versão alternativa sobre o Gênese vai na direção oposta à interpretação corrente. A expulsão do "Paraíso" vista não como um castigo pelo pecado da desobediência a uma ordem de Deus, mas como o início do caminho da humanidade rumo a uma consciência maior e mais madura, numa jornada de desenvolvimento. Se Deus exigia obediência cega dos humanos, a Divina Sofia os estimulava a aprender e andar com as próprias pernas. É uma postura inegavelmente mais libertária e que simboliza uma crença muito maior em nossas potencialidades!

Os gnósticos, de forma poética, diziam que a Alma do Mundo nascia do sorriso de Sofia.

Existe outro relato mítico gnóstico que mostra Sofia como a mais jovem dos grandes seres nascidos do Criador Supremo* para habitar Plenitude. Como ficava longe de sua luz primordial, viu uma luz a distância e pensou que era a dele, mas era apenas a luz refletida no Abismo. Autoiludida, ela viajou procurando se aproximar dela, mas o que conseguiu foi se distanciar cada vez mais da Plenitude, mergulhando nas profundezas do Abismo, até que foi interceptada pelo poder conhecido como Limite.

Nesse ponto aconteceu uma estranha divisão em Sofia. Seu núcleo essencial, seu Ser Superior, tornou-se iluminado e voltou a seu lugar de origem, enquanto seu ser inferior mergulhou ainda mais no abismo do caos e da confusão, caindo no mundo da matéria. Sofrendo muito com essa forma de exílio de uma parte sua, acabou sendo socorrida pelos outros seres divinos que habitam a Plenitude e que ficaram profundamente condoídos com sua dor. Então, ajudada especialmente por Cristo, lenta e laboriosamente essa metade de Sofia decaída subiu até a Plenitude, passando por todos os 12 portais que ela havia descido, em círculos sempre ascendentes rumo à Luz. Lá chegando, reuniu-se com sua porção iluminada e assim integrada reassumiu seu papel de Sabedoria no reino Sagrado da Plenitude.

Sofia foi absorvida pelo cristianismo na terceira figura da trindade masculina, o Espírito Santo. Na visão cristã canônica o Espírito Santo é a Sabedoria Divina; é representado como uma pomba branca, um dos símbolos da deusa.

---

* O Supremo Criador dos gnósticos não tem relação nem com o deus judaico, nem com o deus cristão canônico.

E as várias correntes gnósticas foram condenadas pelo cristianismo ortodoxo ocidental como heréticas, que deveriam e foram violentamente perseguidas e combatidas.

Mas Sofia não desapareceu! Ela se aproxima simbolicamente de *Shekinah*, a presença espiritual feminina na Cabala, no judaísmo esotérico. Também reaparece na alquimia medieval, na qual o processo de transformação alquímica é visto como a liberação gradual de Sofia de seu aprisionamento na materialidade caótica e limitante. Na cristandade oriental sempre esteve presente, mesmo que de forma discreta. A famosa Catedral de Hagia Sophia (Sagrada Sabedoria), construída pelo Império Bizantino na antiga Constantinopla, hoje Istambul, foi erguida em sua homenagem. O catolicismo para, não a negar completamente, rebaixou Sofia, a Sabedoria Divina, a uma mulher humana, Santa Sofia.

E hoje, especialmente a partir da descoberta dos evangelhos gnósticos, Sofia está sendo trazida de volta ao nosso saber e à nossa consciência. É um arquétipo feminino forte que vem emergindo com força em nosso mundo atual.

O que Sofia pode ensinar

A usar a "guiança" da nossa bússola interna

Sofia representa a sabedoria que existe em cada ser humano e que ao mesmo tempo é divina, a sabedoria sagrada que está imersa na matéria por meio do nosso corpo e psique, possível de ser acessada por nós.

Não é a sabedoria divina do Logos, das escrituras sagradas, dos teólogos, nem das doutrinas religiosas. É a sabedoria que vem de dentro de cada um, através de inspirações e insights que podemos obter quando procuramos nos aproximar, das mais diversas maneiras, do Mistério da vida, ou quando vivemos espontaneamente momentos de epifania e entendemos "tudo". É uma experiência pessoal do Sagrado, muito mais próxima do olhar feminino. Como diz Marie-Louise von Franz: "... é uma experiência de Deus, mas em Sua forma feminina".

O credo na existência desse acesso interno a um mundo divino é uma visão que acredita numa divindade imanente**. E no mito da queda e ascensão de Sofia podemos ver, metaforicamente refletida, a crença de que nós somos em parte seres humanos vivendo a vida encarnados e em parte seres espirituais que ansiamos por nos juntar a nossa parte divina. Segundo essa visão, temos um destino a cumprir, estamos aqui na Terra por algum motivo, e Sofia e sua sabedoria podem nos ajudar a encontrá-los. É uma visão religiosa da vida, independentemente de qual religião estejamos falando.

Mas é possível também aprender com a simbologia de Sofia não sendo religioso e não acreditando na existência de qualquer divindade. Basta achar que a vida deve ter algum sentido maior e estar em busca de algo que traga isso. Sofia simboliza também aquela verdade interna que emerge dentro da gente, muitas vezes sem sequer estarmos procurando, e que nos diz de forma enfática para fazer ou não fazer isso ou aquilo, para irmos nesse caminho ou mudarmos totalmente de rumo, para largarmos mão ou agarrarmos com todas nossas forças... Sofia é aquele senso de que isso é o que TEMOS mesmo que fazer, mesmo que não haja qualquer motivo racional para isso. Marie-Louise von Franz chama isso de "instinto de verdade". Podemos também dizer que é a Voz de Sofia dentro de nós!

É como se tivéssemos uma bússola interna que nos direciona a seguir o caminho que temos que seguir, mesmo que a gente nem saiba direito que caminho é esse. Essa "bússola interna" pode ser chamada de Alma, Eu Superior, de Self na linguagem junguiana ou simplesmente daquilo que nosso eu pede para construirmos uma vida com significado para nós.

Dentro de uma visão junguiana, aquilo que fazemos obedecendo a nossa gnose ou a Sofia torna-se o caminho da nossa indivi-

---

** Na visão imanente, o Criador e a Criatura estão totalmente interligados; o Criador faz parte da Criatura. Na visão transcendente não há essa interligação, Criador e Criatura são separados, o Criador não está na Criatura.

duação. Jean Shinoda Bolen disse: "O arquétipo de Sofia não se interessa tanto pela resposta correta e sim pelo saber e pelo seguir seu caminho particular".

Podemos dizer até que seguir essa "voz interna", seguir Sofia, é uma atitude verdadeiramente religiosa sem necessidade de qualquer religião: é a atitude do religere – a observação atenta e a consideração cuidadosa aos sinais da vida.

Para Encerrar

A quarta face da Deusa: a irmandade Feminina

O analista junguiano Allan Chinen em sua livro *A mulher heroica* propõe que à Deusa Tríplice, presente em inúmeras tradições, se acrescenta uma quarta face. Além de Donzela, Mãe e Velha, sugere que seja adicionada a face "Irmandade Feminina", que seria o elo que ligaria as outras três.

Observando o que vem acontecendo em nosso país e em vários outros pelo mundo, parece que essa visão metafórica de Chinen está se tornando concreta. Há hoje uma grande proliferação de Grupos, Círculos e Coletivos de mulheres que se unem pelos mais variados motivos: de reivindicar direitos a confeccionar bordados enquanto se aprofunda o autoconhecimento, de lutar por uma causa a estudar mitos femininos, de ler juntas um livro e refletir sobre suas ideias a realizar rituais para as Deusas, de discutir sobre partos e maternidade a aprender como empreender e criar um negócio, de realizar campanhas e movimentos de denúncia ou boicote a organizar saraus de poesia e muitas razões mais.

Isso demonstra que esse arquétipo da Irmandade Feminina está sendo constelado (usando um termo junguiano) ou vem se manifestando fortemente em nossa realidade atual. Inclusive, como já contei, minha parceira Beatriz Del Picchia e eu lançamos em 2019 um livro inteiramente dedicado a esse tema.

Talvez essa quarta face da Deusa, a Irmandade Feminina, esteja se apresentando com força nesse momento – e sem negar também as possíveis razões históricas, políticas e sociais – por ser absolutamente necessária ao mundo. Como preconiza Jean Shinoda Bolen, quando o simbólico Milionésimo Círculo de Mulheres acontecer, a cultura patriarcal terá mudado para uma cultura mais igualitária e humanizada.

Gostaria de terminar este livro falando dessa possibilidade, utópica – e como estamos precisando de uma boa utopia para nos inspirar! – e ao mesmo tempo possível: a criação de uma união entre mulheres que possa gerar ajuda e desenvolvimento mútuos, aprendizado constante, alegrias e tristezas compartilhadas, apoio e suporte para as mudanças pessoais e coletivas necessárias, reconhecimento e combate a crenças tóxicas e limitantes e construção de atitudes, comportamentos e valores mais maduros, sensíveis, empáticos e amorosos. E união que permita a experiência concreta de um tipo de relacionamento muito mais igualitário e solidário, alicerçado na constatação de que "estamos todas juntas no mesmo barco e só juntas podemos nos salvar".

Como este livro é todo composto do relato de antigos mitos do Feminino que servem de símbolos para nos ajudar HOJE a buscar um novo e mais amplo entendimento sobre nós mesmas, vou terminar usando o mesmo esquema.

Para ilustrar a quarta face da Deusa e a força que pode ter a Irmandade Feminina, trago o relato, agora não de um mito, mas de um ritual muito antigo. Ele fala da Grande Deusa Mãe aqui transvertida em Serpente, do cuidado necessário com a Nossa Mãe Terra, da importância da união e do compartilhamento entre as mulheres, da potência do sangue menstrual e de outros temas caros ao feminino.

Um ritual feminino para a fertilidade da Terra: a Tesmofória

O ritual de fertilidade chamado de Tesmofória acontecia anualmente na Grécia muito antiga, na época do plantio das sementes, não sendo possível precisar a data de seu início nem de seu término. Alguns objetos votivos provavelmente ligados a ele têm sido descobertos na Europa datando de cerca de 6.000 a.C., portanto é antiquíssimo. Seu nome – Tesmofória – deriva de thesmoi, *que significa as leis com que se deve trabalhar a terra.*

Era um ritual exclusivo para mulheres e para aquelas que já menstruavam, ou seja, que já podiam ter ou já tinham filhos, ou que viviam a menopausa e que já eram mães. Havia uma relação simbólica direta entre a capacidade de gerar crianças do útero feminino e a fertilidade da Terra, que fazia as sementes germinarem e se tornarem grãos e frutos.

Para meninas a partir dos sete anos e até a menarca havia outro ritual, a Arretophoria, que compreendia somente pequena parte dos ritos da Tesmofória. Nele as meninas se preparavam para o grande ritual feminino do qual iriam participar mais tarde, quando fossem moças.

A Tesmofória começava com nove dias de preparação, para que as participantes realizassem ritos de purificação. Nesses nove dias as mulheres não podiam ter relações sexuais e deviam se afastar dos homens, não dormir juntos na mesma cama e trabalhar e andar só em companhia de outras mulheres. Comiam até alho para repeli-los! Preparavam também, como forma de fortalecer esse afastamento, cestas com várias cabeças de alho e as colocavam em altares feitos de pilhas de pedra ao lado das estradas em oferecimento à deusa Hécate. A ideia era que se concentrassem exclusivamente na energia feminina.

No crepúsculo de cada um desses nove dias, se encontravam no terreno sagrado (a parte do campo onde haveria a semeadura) e perto dali cada uma construía uma pequena cabana com um catre para dormir nos três dias em que permaneceriam no local. As cabanas eram recobertas com galhos de figueiras silvestres, árvore considerada pelos antigos gregos a entrada para o Mundo Subterrâneo. No centro desse acampamento erguiam um altar, construído por elas no formato de uma grande vagina, onde eram colocados os cestos com as sementes de grãos e de frutos que seriam plantados.

Antes de começar o ritual – que durava três dias – todas as participantes ainda em idade fértil tomavam o suco de uma planta, a grama ligulada, que precipita a menstruação. Desde a aparição das primeiras gotas de sangue, as mulheres colocavam uma faixa de tecido vermelho no braço mostrando que já estavam prontas para participar da Tesmofória. O sangue menstrual de todas durante o período do ritual pertencia à terra/Terra.

No primeiro dos três dias da cerimônia, chamado Catodos, ou Abaixo e Acima, todas se dirigiam ao amanhecer para o campo sagrado, pintando suas faces com sangue menstrual. Nenhum homem, nem qualquer animal macho podia se aproximar: as mulheres guardavam a área com facas, espetos e tochas. Se algum homem tentasse espionar o ritual podia ser castrado por elas...

Nesse primeiro dia, as mulheres desciam um morro, cada uma carregando uma porca recém-nascida que havia trazido para o ritual. Chegando embaixo, cada uma delas sacrificava pessoalmente o animal trazido em oferenda à Serpente. A Serpente era uma Grande Divindade Feminina Ctônica, a dona do poder da Terra e de sua fertilidade e da fecundidade das mulheres. Diziam ao realizar o sacrifício: "Aqui está a porquinha, ela é parte de mim e agora eu a dou para você. Como é você quem dá a vida em meu útero, Grande Serpente, então pode comê-la e dessa forma também me comer". Depois pegavam o que havia sobrado das porcas sacrificadas no ano anterior e subiam com esses restos. Voltavam para o campo e os comiam, adquirindo parte do poder da Serpente e se tornando também sagradas nesse momento. No fim da tarde bebiam novamente o suco da grama ligulada, para continuarem a sangrar. Essa grama também era levada para as cabanas e as mulheres dormiam sobre ela nos três dias em que lá ficavam.

No segundo dia, chamado Nesteia ou Dia do Meio, desde o amanhecer elas realizavam um jejum solene, só podendo ingerir sementes de romã. Sentavam-se no chão, nuas da cintura para baixo, em silêncio, e deixavam seu sangue fluir para o corpo da terra, fertilizando-o com o poder da Serpente e com o poder de seu próprio sangue.

Ao anoitecer quebravam o jejum comendo bolos sagrados em formatos de vagina ou de meia-lua e brincavam e riam juntas.

À noite se juntavam ao redor de uma fogueira e conversam sobre visões, segredos, paixões – nunca sobre as preocupações diárias. Podiam também expor seus rancores e ciúmes, zombar umas das outras, dar risada, gritar, chorar; tudo sobre todas e suas famílias era dito sem pudores. Ali eram todas iguais. Era o tempo de descarregar os ressentimentos, as raivas e as mágoas não expressas durante todo o ano que passara.

Depois cada uma voltava para sua cabana e tinha que colocar um punhado da grama molhada com seu sangue menstrual na porta de entrada para repelir a Serpente, que podia ser perigosa quando a mulher dormia. Rogavam a Ela que as protegesse da loucura e da possessão.

O terceiro dia era o Kallegeneia ou Dia do Bom Nascimento. Elas acordavam cantando alegres porque a Serpente, que tinha afrouxado os limites entre a vida comum e a vida do Outro Lado, havia partido e elas haviam sobrevivido às provações da Tesmofória. As mulheres mais velhas, as mais honradas, que dormiam sempre sobre a planta sagrada mesmo fora do tempo do ritual, se aproximavam do altar e ritualmente recitavam para a Serpente: "Fomos deixadas com sua memória".

Depois disso, pegavam os cestos com as sementes que estavam no altar e os passavam para as outras mulheres. Elas então os carregavam para o campo e plantavam as sementes no solo que havia sido consagrado por seu sangue e por suas ações rituais. Quando terminava o plantio, todas as mulheres ficavam de pé ao lado do campo semeado e cantavam juntas em homenagem à Serpente. E assim se encerrava o ritual.

A Tesmofória, com toda sua complexa ritualística, buscava garantir primeiramente a fertilidade da terra para haver uma boa colheita, absolutamente necessária à sobrevivência de todos. Mas também propiciava às mulheres um profundo mergulho, pessoal e coletivo, na energia do Feminino Sagrado integrado, com seu lado sombrio e luminoso. Era uma iniciação!

Rituais ligados à evocação da Deusa e do Sagrado Feminino na busca da fertilidade da terra e feitos exclusivamente por mulheres devem ter acontecido em inúmeras culturas antigas. Provavelmente esses rituais foram algumas da primeiras experiências da Irmandade Feminina.

Tomar conhecimento dessas histórias tão antigas do Feminino nos fortalece ao nos ligar a uma grande corrente de ancestrais – simbólicas ou reais – fortes, poderosas e libertárias vindas desse passado longínquo: é nossa Voz ecoando por tempos imemoriais!

Podemos dessa forma honrar mulheres – humanas, míticas ou sagradas – que nos antecederam abrindo nossos caminhos, assim como nós estamos abrindo os caminhos para as mulheres que nos sucederão. É um grande cortejo, uma "procissão" e, ao mesmo tempo, uma grande rede feminina unida na busca de criar uma cultura mais igualitária, mais inclusiva, mais justa, menos agressiva ao planeta e mais pacífica e gentil para todos os habitantes da Mãe Terra, sem exceção.

Que a Deusa e as Deusas protejam e guiem todas, todos e todes que lutam por e para isso!

Referências bibliográficas

ABREU, Aurélio M.G. de. **Culturas indígenas do Brasil.** São Paulo: Traço, 1987.

AGUIAR, Cristina. **As máscaras da Grande Deusa:** um estudo esotérico sobre as deusas nórdicas e germânicas. Sintra: Zéfiro, 2011.

ALEXANDER, Brooks; RUSSELL, Jeffrey B. **História da bruxaria.** São Paulo: Aleph, 2019.

BALIEIRO, Cristina. **O legado das deusas:** caminhos para a busca de uma nova identidade feminina. São Paulo: Pólen, 2014.

BALIEIRO, Cristina; PICCHIA, Beatriz del. **Círculos de mulheres: as novas irmandades.** São Paulo: Ágora, 2019.

BALIEIRO, Cristina; PICCHIA, Beatriz del. **O feminino e o sagrado:** mulheres na jornada do herói. São Paulo: Ágora, 2010.

BARTLETT, Sarah. **A bíblia da mitologia.** São Paulo: Pensamento, 2011.

BETH, Rae. **A bruxa solitária:** lições a aprendizes de bruxaria. Rio de Janeiro: Bertrand Brasil, 2000.

BOLEN, Jean Shinoda. **As deusas e a mulher madura:** arquétipos nas mulheres com mais de 50. São Paulo: Triom, 2005.

BOLEN, Jean Shinoda. **El nuevo movimiento global de las mujeres: construir círculos para transformar el mundo.** Barcelona: Kairós, 2014.

BOLEN, Jean Shinoda. **O caminho de Avalon:** os mistérios femininos e a busca do Santo Graal. Rio de Janeiro: Rosa dos Tempos, 1996.

BOLEN, Jean Shinoda. **O Milionésimo Círculo:** como transformar a nós mesmas e ao mundo – um guia para Círculos de Mulheres. São Paulo: Triom, 2003.

BONETTI, M. Cristina de Freitas. **Sagrado Feminino:** as encantarias da Serpente evocadas na simbologia das Danças Circulares Sagradas. Anápolis: Editora Universidade Estadual de Goiás, 2018.

BRANDÃO, Junito de Souza. **Mitologia grega.** Petrópolis: Vozes, 1988. v. 1.

BULFINCH, Thomas. **O livro de ouro da mitologia:** histórias de deuses e heróis. Rio de Janeiro: HarperCollins, 2018.

CAMPBELL, Joseph. **Deusas:** os mistérios do divino feminino. São Paulo: Palas Athena, 2015.

CAMPBELL, Joseph. **O poder do mito.** São Paulo: Palas Athena, 1990.

CERIDWEN, Mavesper Cy. **Wicca Brasil:** guia de rituais das deusas brasileiras. São Paulo: Gaia, 2003.

CHATURVEDI, B. K.; MATHUR, Suresh Narain. **Deuses e deusas hindus:** sua hierarquia e outros assuntos sagrados. São Paulo: Madras, 2008.

CHINEN, Allan B. **A mulher heroica:** relatos clássicos de mulheres que ousaram desafiar seus papéis. São Paulo: Summus, 2001.

CÔRTES, Flávia; RIOS, Rosana. **Terra de mistérios:** o Antigo Egito e os domínios de Ísis, Senhora da Magia. São Paulo: Pólen, 2019.

DAVIDSON, H. R. Ellis. **Deuses e mitos do norte da Europa:** uma mitologia e o comentário de uma era ou civilização específica sobre os mistérios da existência e da mente humanas. São Paulo: Madras, 2004.

EISLER, Riane. **O cálice e a espada:** nossa história, nosso futuro. São Paulo: Palas Athena, 2007.

ESPÍRITO SANTO, Maria Inez do. **Vasos sagrados:** mitos indígenas brasileiros e o encontro com o feminino. Rio de Janeiro: Rocco, 2010.

ESTÉS, Clarissa Pinkola. **Mulheres que correm com os lobos.** Rio de Janeiro: Rocco, 1999.

EYIN, Pai Cido de Òsun. **Candomblé:** a panela do segredo. São Paulo: Arx, 2000.

FARRAR, Janet; FARRAR, Stewart. **A deusa das bruxas:** o princípio feminino da divindade. São Paulo: Alfabeto, 2018.

FAUR, Mirella. **O anuário da Grande Mãe:** guia prático de rituais para celebrar a deusa. São Paulo: Alfabeto, 2016.

FEDERICI, Silvia. **Calibã e a bruxa.** São Paulo: Elefante, 2017.

FEDERICI, Silvia. **Mulheres e caça às bruxas.** São Paulo: Boitempo, 2019.

FRANZ, Marie-Louise von. **A busca do sentido.** São Paulo: Paulus, 2018.

FRANZ, Marie-Louise von. **Alquimia:** introdução ao simbolismo e a psicologia. São Paulo: Cultrix, 1999.

GAIMAN, Neil. **Mitologia nórdica.** Rio de Janeiro: Rocco, 2010.

GALVÃO, Walnice Nogueira. **A donzela guerreira:** um estudo de gênero. São Paulo: Editora Senac, 1998.

GETTY, Adele. **La Diosa.** Madri: Edições Del Prado, 1997.

GIMBUTAS, Marija. **Os eslavos.** Lisboa: Editorial Verbo, 1975.

GREENE, Liz. **A astrologia do destino.** São Paulo: Cultrix, 1997.

GRUPO RODAS DA LUA. **O livro das Deusas.** São Paulo: Publifolha, 2005.

HALLAM, Elisabeth. **O grande livro dos deuses e deusas:** mais de 130 divindades e lendas da mitologia mundial. São Paulo: Madras, 2018.

HARDING, M. Esther. **Os mistérios da mulher.** São Paulo: Paulus, 1985.

HILLMAN, James. **O código do ser:** uma busca do caráter e da vocação pessoal. Rio de Janeiro: Objetiva, 2001.

HOELLER, Stephan A. **A gnose de Jung e os sete sermões aos mortos.** São Paulo: Cultrix, 1995.

HOELLER, Stephan A. **Gnosticismo:** uma nova interpretação da tradição oculta para os tempos modernos. Rio de Janeiro: Nova Era, 2005.

HURWITZ, Siegmund. **Lilith – a primeira Eva:** aspectos históricos e psicológicos do elemento sombrio feminino. São Paulo: Fonte Editorial, 2013.

JUNG, Carl G. **Os arquétipos e o inconsciente coletivo.** Petrópolis: Vozes, 2012.

JUNG, Carl G. **Símbolos da transformação.** Petrópolis: Vozes, 1986.

KOSS, Monika von; MARX, Isolde; TEDESCO, Maria Helena. **As deusas egípcias e o século XXI.** São Paulo: Scortecci, 2007.

KRIWACZEK, Paul. **Babilônia:** a Mesopotâmia e o nascimento da civilização. Rio de Janeito: Zahar, 2018.

LEEMING, David. **Do Olimpo a Camelot:** um panorama da mitologia europeia. Rio de Janeito: Jorge Zahar Editor, 2004.

LERNER, Gerda. **A criação do patriarcado:** história da opressão das mulheres pelos homens. São Paulo: Cultrix, 2019.

LONGFELLOW, Henry W. **The Song of Hiawatha.** Estados Unidos: CreateSpace Independent Publishing Platform, 2014.

MARASHINSKY, Amy Sophia. **O oráculo da Deusa:** um novo método de adivinhação. São Paulo: Pensamento, 2007.

MARINHO, Roberval F.; MARTINS, Cléo. **Iroco:** o orixá da árvore e a árvore orixá. Rio de Janeiro: Pallas, 2002.

MARTINS, Cléo. **Euá:** a senhora das possibilidades. Rio de Janeiro: Pallas, 2006.

MARTINS, Cléo. **Obá:** a amazona belicosa. Rio de Janeiro: Pallas, 2002.

MATTIUZZI, Alexandre A. **Mitologia ao alcance de todos:** os deuses da Grécia e Roma antigas. São Paulo: Nova Alexandria, 2000.

MATTIUZZI, Alexandre A. **Mitologia ao alcance de todos:** os deuses do Egito antigo. São Paulo: Hélade, 2005.

MIES, Maria; SHIVA, Vandana. **Ecofeminismo.** Lisboa: Instituto Piaget, 1997.

MONAGHAN, Patricia. **O caminho da Deusa:** mitos, invocações e rituais. São Paulo: Pensamento, 2009.

MONCLÚS, Antoni Prevosti i (coord.); PRATS, Ramon N.; RÍO, Antonio José Doménech del. **Pensamiento y religión en Asia oriental.** Buenos Aires: Editorial Uoc, 2005.

NEUMANN, Erich. **A Grande Mãe:** um estudo fenomenológico da constituição feminina do inconsciente. São Paulo: Cultrix, 2004.

NICHOLSON, Shirley (org.). **O novo despertar da Deusa:** o princípio feminino hoje. Rio de Janeiro: Rocco, 1993.

NOGUEIRA, Renato. **Mulheres e deusas: como as divindades e os mitos femininos formaram a mulher atual.** Rio de Janeiro: HarperCollins, 2018.

PAGELS, Elaine. **Adão, Eva e a serpente.** Rio de Janeiro: Rocco, 1992.

PAGELS, Elaine. **Os evangelhos gnósticos.** São Paulo: Cultrix, 1991.

PAIVA, Iara Cecília. **A culpa é da Eva? – de deusas a pecadoras:** mulheres nas religiões. São Paulo: Livronovo, 2017.

PHILIP, Neil; WILKINSON, Philip. **Guia ilustrado Zahar:** mitologia. Rio de Janeiro: Jorge Zahar Editor, 2008.

PRANDI, Reginaldo. **Mitologia dos orixás.** São Paulo: Companhia das Letras, 2001.

PRIETO, Claudiney. **Todas as deusas do mundo.** São Paulo: Alfabeto, 2017.

REMEN, Rachel Naomi. **As bênçãos do meu avô.** Rio de Janeiro: Sextante, 2001.

REYNOLDS, Roberto Rosaspini. **Mitos y leyendas celtas.** Buenos Aires: Ediciones Continente, 1999.

RIOS, Rosana. **Volta ao mundo em 80 mitos.** Porto Alegre: Artes e Ofícios, 2010.

ROBLES, Martha. **Mulheres, mitos e deusas:** o feminino através dos tempos. São Paulo: Aleph, 2006.

SANDNER, Donald. **Os navajos e o processo simbólico da cura.** São Paulo: Summus, 1997.

SARASWATI, Aghorananda. **Mitologia hindu.** São Paulo: Madras, 2007.

SHELDON, Kathleen E. **Historical dictionary of women in Sub-Saharan Africa.** Los Angeles: Scarecrow Press, 2005.

SICUTERI, Roberto. **Lilith:** a lua negra. Rio de Janeiro: Paz e Terra, 1987.

VILLAS BOAS, Claudio; VILLAS BOAS, Orlando. **Xingu:** os índios, seus mitos. Rio de Janeiro: Zahar, 1970.

WALKER, Barbara G. **A Velha:** mulher de idade, sabedoria e poder. Lavras: A Senhora, 2001.

WALKER, Barbara G. **Enciclopedia de los mitos y secretos de la mujer.** Barcelona: Ediciones Obelisco, 2019.

WARNER, Elizabeth. **Mitos rusos.** Madri: Ediciones Akal, 2005.

WILKINSON, Philip (consult.). **O livro da mitologia.** São Paulo: GloboLivros, 2018.

WILLIS, Roy (coord.). **Mitologias.** São Paulo: Publifolha, 2007.

WOODMAN, Marion. **A feminilidade consciente:** entrevistas com Marion Woodman. São Paulo: Paulus, 2003.

WOODMAN, Marion. **A Virgem grávida:** um processo de transformação psicológica. São Paulo: Paulus, 1999.

WOODMAN, Marion. **O vício da perfeição:** compreendendo a relação entre distúrbios alimentares e desenvolvimento psíquico. São Paulo: Summus, 2002.

YOUNG-EISENDRATH, Polly. **A mulher e o desejo.** Rio de Janeiro: Rocco, 2001.

ZIMMER, Heinrich. **A conquista psicológica do mal.** São Paulo: Palas Athena, 1999.

ZIMMER, Heinrich. **Mitos e símbolos na arte e civilização da Índia.** São Paulo: Palas Athena, 1989.

ZWEIG, Connie (org.). **Mulher:** em busca da feminilidade perdida. São Paulo: Gente, 1994.

E-books

Guia da mitologia celta: a magia da mitologia celta. Barueri: On line editora, 2015. E-book.

Guia segredos do Império Maia. Barueri: On line editora, 2016. E-book.

Artigos

MÓDOLO, Parcival. **Os incas:** língua, cultura e música. Revista USP, São Paulo, n.72, p. 143-146, dez.-fev. 2006-2007. Disponível em: http://www.revistas.usp.br/revusp/article/view/13577.

OLIVEIRA, David Mesquiati de. **Pachamama, Paqarina e Pachakamaq:** uma perspectiva religiosa quéchua sobre natureza e religião. Estudos de religião, São Paulo, v. 31, n.1, jan.-abr. 2017. Disponível em: https://www.metodista.br/revistas/revistas-ims/index.php/ER/article/view/6859.

RODRIGUEZ, Graciela. **Ecofeminismo:** superando a dicotomia natureza/cultura. Publicação Planeta Fêmea, Rio de Janeiro, 1992.

SCHMITT, Gustavo. **O mito de Lilith:** entre deuses e demônios. In: Congresso Latino-Americano de Gênero e Religião, 5., 2016, São Leopoldo. Anais [...]. São Leopoldo: Faculdades EST, 2016. Disponível em: http://anais.est.edu.br/index.php/genero/article/view/635.

TORRES, Maximiliano. O Ecofeminismo: "Um novo termo para um saber antigo". **Revista Terceira Margem**, Rio de Janeiro, v.13, n. 20, jan.-jul. 2009. Disponível em: https://revistas.ufrj.br/index.php/tm/article/view/11043.

Este livro foi composto nas fontes ChaparralPro e Constance, impresso em cartão Supremo 250 g/m² para a capa e offset 90 g/m² para o miolo, pela gráfica Rettec, em março de 2020.